Friedrich

Werk

in drei

Herausgegeben
in Zusammenarbeit
mit dem Autor

Band 3

£4.20

Diogenes Taschenbuch 20833

de
te
be

Friedrich Dürrenmatt

Die Ehe des Herrn Mississippi

Eine Komödie in zwei Teilen
(Neufassung 1980)
und ein Drehbuch

Diogenes

Umschlag: Detail aus ›Scharfrichter‹ von Friedrich Dürrenmatt.

Die Komödie *Die Ehe des Herrn Mississippi* erschien erstmals 1952 im Verlag Oprecht, Zürich. Copyright © 1952 by
Europa Verlag AG, Zürich.

Aufführungs-, Funk- und TV-Rechte:
Weltvertrieb: Europa Verlag AG, Postfach, 8024 Zürich.

Der vorliegende Text beruht im wesentlichen auf der zweiten (1957) und dritten Fassung (1964); diese *Neufassung
1980* und die dazugehörige *Anmerkung* hat Friedrich Dürrenmatt eigens für diese Ausgabe geschrieben.

Das Drehbuch erschien erstmals 1961 in der Reihe ›Galerie
Sanssouci‹ im Sanssouci Verlag, Zürich.

Die Texte wurden für diese Ausgabe durchgesehen und
korrigiert. Redaktion: Thomas Bodmer.

Inhalt

Allgemeine Anmerkung
zu der Endfassung 1980 meiner Komödien

Es ging mir, im Gegensatz zu den verschiedenen Fassungen, die vorher einzeln im Arche-Verlag erschienen sind, bei den Fassungen für die Werkausgabe nicht darum, die theatergerechten, das heißt die gestrichenen Fassungen herauszugeben, sondern die literarisch gültigen. Literatur und Theater sind zwei verschiedene Welten: Außer den Komödien, die ich nur für die Theater schrieb, *Play Strindberg* und *Porträt eines Planeten,* die Übungsstücke für Schauspieler darstellen und die ich als Regisseur schrieb, gebe ich im Folgenden – die ersten Stücke tastete ich nicht an – die dichterische Fassung wieder, eine Zusammenfassung verschiedener Versionen.

F. D.

Die Ehe des Herrn Mississippi

Eine Komödie in zwei Teilen
Neufassung 1980

Personen

Anastasia
Florestan Mississippi
Frédéric René Saint-Claude
Graf Bodo von Übelohe-Zabernsee
Der Minister Diego
Das Dienstmädchen
Drei Geistliche
Drei Männer in Regenmänteln,
   die rechte Hand in der Tasche
Zwei Wärter
Professor Überhuber
Irrenärzte

Geschrieben 1950
Uraufführung in den Münchner Kammerspielen
am 26. März 1952

Erster Teil

Während das Publikum den Saal betritt, hört man den Schlußchor der Neunten Symphonie von Beethoven.
Der Vorhang hebt sich:
Ein Zimmer, dessen spätbürgerliche Pracht und Herrlichkeit zu beschreiben nicht eben leicht sein wird. Doch da sich die Handlung in ihm abspielen wird, ausschließlich in ihm, ja, da gesagt werden darf, daß die folgenden Geschehnisse die Geschichte dieses Zimmers darstellen, soll seine Beschreibung gewagt sein: Der Raum stinkt zum Himmel. Im Hintergrund zwei Fenster. Die Aussicht: verwirrend; rechts das Geäst eines Apfelbaumes und dahinter irgendeine nordische Stadt mit einer gotischen Kathedrale, links eine Zypresse, Reste eines antiken Tempels, Meerbusen, Hafen. Nun gut. Zwischen den beiden Fenstern, aber nicht höher, eine Standuhr; Stil: auch gotisch. Darüber das Bild eines rosigen, gesundheitsstrotzenden Rübenzuckerfabrikanten. Gehen wir zur rechten Wand. Dort befinden sich zwei Türen. Die im Hintergrund führt durch die Veranda in ein weiteres Zimmer, sie ist nicht wichtig, ich brauche sie eigentlich nur im fünften Akt; die im Vordergrund rechts führt in eine Vorhalle um die Ecke links. Machen wir uns keine Gedanken, wie etwa das Haus gebaut sein könnte, nehmen wir an, es sei ein verwirrt umgebautes Patrizierhaus. Zwischen den Türen rechts ein kleines Buffet, diesmal möchte ich Louis Quinze vorschlagen. Darauf befindet

sich eine Liebesgöttin. Aus Gips. Gewiß. An der linken Wand nur eine Türe. Sie öffnet sich zwischen zwei Finde-Siècle-Spiegeln. Die Türe führt in ein Boudoir, vom Boudoir ins Schlafzimmer, Räume, die zwar verschiedene andere, aber nicht wir betreten werden. Im Vordergrund links der Louis-Seize-Rahmen eines weiteren Spiegels in der Luft hängend, natürlich ohne Glas, so daß man ins Publikum sieht, blickt jemand hinein. Rechts im Vordergrund könnte vielleicht ein kleines, ovales, leeres Bild hängen. In der Mitte ein rundes Biedermeier-Kaffeetischchen, die eigentliche Hauptperson des Stücks, um das herum sich das Spiel dreht, um das herum alles zu inszenieren ist, von zwei Louis-Quatorze-Sesseln flankiert. Etwas Empire kann man sicher noch irgendwie placieren: etwa links vorne ein kleines Sofa, dann links hinten eine spanische Wand. Auf Russisches darf verzichtet werden, wenn nicht gerade die politische Situation dies wünschbar macht. Auf dem Tischchen eine japanische Vase mit roten Rosen, die im zweiten durch weiße, im dritten Akt durch gelbe ersetzt werden können. Die restlichen Akte schlage ich ohne Blumen vor.

Ferner ein Kaffeegedeck für zwei Personen. Meißener Porzellan, erraten. Beim Kaffeetisch Saint-Claude, den wir, ohne gerade gründlicher auf diese Persönlichkeit eingehen zu wollen, uns etwas quadratisch denken, mächtig an stählerner Masse, gegenwärtig in einem Frack, der ihm offensichtlich nicht paßt. Strümpfe: rot. Lackschuhe. Er klingelt mit einer kleinen silbernen Glocke. Von rechts kommen drei Männer, gemütlichen Bierbrauern nicht unähnlich, in Regenmänteln und roten Armbinden, die rechte Hand in der Tasche.

DER ERSTE DER DREI IN REGENMÄNTELN Hände hinter den Kopf.

Saint-Claude gehorcht.

DER ZWEITE Zwischen die Fenster.

Saint-Claude gehorcht.

DER DRITTE Kehr dich gegen die Standuhr.

Saint-Claude gehorcht.
Schuß.

DER ERSTE So stirbt man am einfachsten.

Saint-Claude bleibt stehen. Die drei in Regenmänteln – die rechte Hand wieder in der Tasche – gehen nach rechts hinaus. Saint-Claude kehrt sich zum Publikum und spricht das Folgende teils wie ein Theaterdirektor eines ziemlich verschmierten Theaters, teils wie ein Mephisto.

SAINT-CLAUDE Meine Damen, meine Herren, ich bin eben erschossen worden, wie Sie bemerkt haben dürften, und kurz vorher endete die unsterbliche Neunte. Die Kugel trat, irgendwo zwischen den beiden Schulterblättern, wie ich glaube, in meinen Leib – es fällt mir nicht gerade leicht, dies genauer festzustellen – *er greift nach hinten* – zerschmetterte auf ihrem Weg durch das Innere mein Herz und trat dann wohl hier an meiner Brust wieder heraus, durchstieß den Frack, verbeulte den Orden ›Pour le mérite‹ – nicht ganz unpeinlich, da weder der Frack mir gehört noch der Orden –, worauf das Geschoß die Standuhr beschädigte; so stelle ich mir das ungefähr vor. Mein jetziger Zustand ist angenehm. Außer der natürlich recht beträchtlichen Verblüffung, sich auch nachher noch vorhanden zu finden, fühle ich mich ausgezeichnet, besonders macht mir meine Leber mit einem Schlag nicht mehr zu schaffen, wenn ich so sagen darf. In ihr wütete ein heimtückisches Leiden, das ich in meinem Leben vor dem Tode ängstlich zu verbergen suchte, dem ich aber, wie ich nun gestehen muß – ich hielt mich für rein moralisch bestimmt –, doch wohl einen beträchtlichen Teil meiner etwas extremen Weltanschauung verdankte. Mein Tod, den Sie eben gesehen haben, dieser reichlich triviale, aber leider Gottes – merkwürdig, was man jetzt für Ausdrücke braucht – *er schüttelt den Kopf* – dieser, leider Gottes also, nicht allzu ungewöhnliche Tod findet eigentlich erst am Schluß dieses Stückes statt, was leicht zu erraten ist, denn wenn einmal Männer mit Armbinden auftreten, ist schon alles vorbei, ist schon alles verloren. Doch haben wir meine Ermordung aus – so möchte ich es formulieren – therapeutischen Gründen an den Anfang gesetzt – eine der schlimmsten Szenen ist dann gleich vorweggenommen. Außerdem – auch das läßt sich nicht verschweigen – werden zum Zeitpunkt meines peinlichen Todes hier noch andere Leichen herumliegen, ein Umstand, der Sie jetzt natürlich verwirren würde, was jedoch gar nicht so übertrieben ist, wenn man bedenkt, daß es sich in dieser Komödie unter

anderem um die Ehe meines Freundes Mississippi handelt. Unter anderem, denn es geht um das nicht unbe-
denkliche Schicksal dreier Männer – *Drei pathetische
Brustbilder, von links nach rechts Saint-Claude, Übelohe und Mississippi darstellend, die zwei äußeren
schwarz umflort, senken sich von oben herab und
bleiben im Hintergrund in der Höhe schweben* – die
sich aus verschiedenen Motiven nichts mehr und nichts
weniger in den Kopf gesetzt hatten, als die Welt teils
zu ändern, teils zu retten, und denen nun das freilich
grausame Pech zustieß, mit einer Frau zusammenzukommen – *Das Bild Anastasias senkt sich herab, ebenfalls schwarz umflort, und bleibt zwischen Übelohe
und Mississippi schweben* – die weder zu ändern, noch
zu retten war, weil sie nichts als den Augenblick liebte
– nachträglich gesehen jedenfalls die weitaus vergnüg-
lichste Lebenshaltung –: so daß denn auch diese
Komödie sich ebensogut Die Liebe des Grafen Bodo
von Übelohe-Zabernsee, oder Die Abenteuer des
Herrn Saint-Claude, oder gar, kurz und bündig, Frau
Anastasia und ihre Liebhaber nennen könnte. *Er zeigt
während dieser Worte auf das Portrait der jeweils
genannten Personen.* Daß freilich im Verlauf der Ver-
wicklungen alles am Ende ruiniert wird, ja daß es
überhaupt im großen und ganzen ziemlich radikal
zugeht, ist bedauerlich, doch der Wahrheit zuliebe –
geschweige denn heute – nicht zu ändern. *Die Porträts
verschwinden wieder.* Und wenn Sie nun einen der
wenigen Überlebenden – bitte sehr – draußen an den
beiden Fenstern vorbeitaumeln sehen – *Draußen torkelt Graf Übelohe mit einer blauen Fahne vorbei* – mit
einer frommen Fahne irgendeinem lächerlichen Zug

der Heilsarmee nachlaufend, so verzeihen Sie, daß dies eigentlich gar nicht möglich wäre, da wir uns hier im ersten Stock des Hauses befinden, was Sie ja schon daraus entnehmen können, daß einige Baumwipfel von Ihnen aus zu sehen sind, es handelt sich um eine Zypresse und um einen Apfelbaum. Doch fangen wir irgendwo mit unserer Geschichte an. Wir könnten zum Beispiel damit beginnen, wie ich in Rumänien eben jene Revolution anzettle, die den Sturz des Königs Michael einleitet, oder wie Graf Übelohe in Tampang, einem elenden Nest im Innern Borneos, betrunken einem betrunkenen Malayen den Blinddarm herauszuschneiden versucht – *Zwei Bilder, das Geschilderte darstellend, schweben von oben nieder* – doch bleiben wir in diesem, uns nun schon vertrauten Raum. Gehen wir zurück – *Die Bilder schweben wieder in die Höhe* – es wird uns nicht schwerfallen, da wir den Ort ja nicht zu verlassen brauchen – obgleich auch dies nicht klar ist, wo denn nun eigentlich dieses Haus stehe – einmal entschied sich der Autor für Süden, daher die Zypresse, der Tempel und das Meer, einmal für den Norden, daher der Apfelbaum und die Kathedrale –, gehen wir also zurück, wenn ich bitten darf, fünf Jahre nur, bevor sich jenes Unglück ereignete, dessen Zeugen Sie gleich zu Beginn waren, zurück denn ins Jahr 47 oder 48, immer fünf Jahre vor der Gegenwart, solange dies überhaupt möglich ist. Nun gut, es ist Mai, die Fenster sind leicht geöffnet – *Die Fenster öffnen sich leicht* – auf dem Tisch befindet sich eine rote Rose, über der Standuhr hängt das Bildnis des ersten Mannes, der das Glück hatte, mit Anastasia verheiratet zu sein, das Bild des Rübenzukkerfabrikanten, François mit Vornamen, und das Dienstmädchen führt meinen alten Freund Mississippi herein – *Das Dienstmädchen und Mississippi kommen von rechts* – der korrekt wie immer, in schwarzem Gehrock, auch wie immer, dem hübschen Kind gerade den Stock, den Mantel und den Zylinder übergibt, während ich mich – ich bin in meinem vorigen Leben leider allzu oft durch Fenster gestiegen – nach alter Gewohnheit entferne – dies vielleicht nicht ganz nach der üblichen Gepflogenheit Verstorbener, aber wie soll ich ihre Weise, sich einfach in Nichts aufzulösen, so gleich von mir aus, kaum verblichen, ohne jede Anleitung, denn auch verstehen: Kurz, während ich mich nach einem Ort begebe – *er schaut etwas mißtrauisch Richtung Erdzentrum* – von dem ich mir durchaus keine Vorstellung machen kann – *er steigt durchs Fenster links* – faßt hier, fünf Jahre vorher, Herr Mississippi einen wichtigen Entschluß. *Saint-Claude verschwindet.*

DAS DIENSTMÄDCHEN Madame wird jeden Moment kommen, mein Herr.

Das Dienstmädchen geht nach rechts hinaus. Mississippi betrachtet das Bild des Rübenzuckerfabrikanten. Von links kommt Anastasia. Mississippi verneigt sich.

ANASTASIA Mein Herr?

MISSISSIPPI Mein Name ist Mississippi. Florestan Mississippi.

ANASTASIA Wie Sie mir geschrieben haben, müssen Sie mich dringend sprechen?

MISSISSIPPI Ja, dringend. Ich bin leider nicht in der Lage,

beruflich eine andere Zeit zu wählen als die nach Tisch.

ANASTASIA Sie waren ein Freund meines Mannes?

Sie sieht kurz nach dem Bild im Hintergrund. Auch Mississippi sieht hin.

MISSISSIPPI Sein unerwarteter Tod geht mir nahe. *Er verneigt sich.*

ANASTASIA *etwas verlegen* Er starb an einem Herzschlag.

MISSISSIPPI *verneigt sich aufs neue* Ich drücke Ihnen meine tiefe Teilnahme aus.

ANASTASIA Darf ich Sie zu einer Tasse Kaffee einladen?

MISSISSIPPI Sie sind sehr gütig.

Sie setzen sich. Anastasia links, Mississippi rechts. Anastasia schenkt ein. Die folgende Szene am Kaffeetisch ist sehr exakt zu inszenieren, mit genauen Bewegungen des Kaffeetrinkens: so führen beide etwa gleichzeitig die Tasse zum Munde oder rühren gleichzeitig mit dem Löffelchen usw.

ANASTASIA Sie haben mich in Ihrem Brief eindringlich beschworen, Sie anzuhören. Sie haben dies im Namen meines verstorbenen Gatten getan. *Sie sieht nach dem Bild.* Ich hätte Sie sonst nie so wenige Tage nach François' Tod empfangen. Ich hoffe, daß Sie mich verstehen.

MISSISSIPPI Vollkommen. Auch ich ehre die Toten. *Auch er sieht nach dem Bild.* Wäre mein Anliegen nicht so überaus dringend, hätte ich es nie gewagt, Sie mit meinem Besuch zu belästigen, um so mehr, als auch ich einen Todesfall zu beklagen habe. Meine junge

Gattin ist vor wenigen Tagen gestorben. *Nach einer kurzen Pause bedeutungsvoll* Sie hieß Madeleine.

Er sieht Anastasia prüfend an, die fast unmerklich zusammengezuckt ist.

ANASTASIA Das tut mir leid.

MISSISSIPPI Unsere Familie hat seit Jahr und Tag den gleichen Hausarzt wie die Ihre, den alten Doktor Bonsels. Von ihm vernahm ich den bedauernswerten Tod Ihres Gatten. Doktor Bonsels stellte bei meiner Gattin ebenfalls Herzschlag als Todesursache fest.

Er sieht Anastasia erneut lauernd an, die aufs neue zusammenzuckt.

ANASTASIA Auch ich möchte Sie bitten, mein herzliches Beileid entgegenzunehmen.

MISSISSIPPI Um mein Anliegen zu verstehen, ist es vor allem notwendig, daß Sie sich über meine Person im klaren sind, gnädige Frau. Ich bin der Staatsanwalt.

Anastasia läßt in panischem Schreck die Kaffeetasse fallen.

ANASTASIA Verzeihen Sie die ungeschickte Unterbrechung.

MISSISSIPPI *verneigt sich* O bitte. Ich bin es gewohnt, Furcht und Zittern zu verbreiten.

Anastasia läutet mit einer kleinen silbernen Glocke. Das Dienstmädchen kommt von rechts, trocknet auf und gibt Anastasia ein anderes Gedeck, geht wieder hinaus.

ANASTASIA Sie haben noch keinen Zucker genommen. Ich
bitte Sie, sich zu bedienen.

MISSISSIPPI Ich danke Ihnen.

ANASTASIA *lächelnd* Was führt Sie nun zu mir, Herr
Staatsanwalt?

MISSISSIPPI Der Grund meines Besuches betrifft Ihren
Gatten.

ANASTASIA François ist Ihnen Geld schuldig?

MISSISSIPPI Seine Schuld ist nicht finanzieller Natur. Wir
sind einander wildfremd, gnädige Frau, und es tut mir
aufrichtig leid, Ihrem Gatten Ungünstiges nachsagen
zu müssen, aber er hat Sie betrogen.

*Anastasia zuckt zusammen, und es entsteht eine peinliche
Pause.*

ANASTASIA *kalt* Wer hat Ihnen das gesagt?

MISSISSIPPI *ruhig* Meine unbestechliche Beobachtungs-
gabe. Ich habe die Fähigkeit, das Böse aufzuspüren,
wo auch immer es sich findet, und leide an dieser
Begabung unvorstellbar.

ANASTASIA Ich weiß wirklich nicht, wie Sie dazu kommen, unmittelbar nach dem Tode meines Gatten in
diesem Raum, wo er gewissermaßen noch lebt, die
wahnsinnigsten Behauptungen über seinen Lebens-
wandel auszusprechen. Ihre Anschuldigungen sind ungeheuer.

MISSISSIPPI Die Tatsache, daß Ihr Gatte ein Weib von
Ihrer Beschaffenheit hintergehen konnte, ist noch
ungeheurer. Ahnen Sie denn nicht, daß ich nicht freiwillig zu Ihnen gekommen bin, sondern nur, weil uns
ein verhängnisvolles Geschick aneinanderfesselt? Ich

bitte Sie, die Seelenstärke zu haben, mich in Ruhe anzuhören. Die gegenseitige Folterung ist schon so grauenhaft, daß wir die äußerste Rücksicht nehmen müssen.

ANASTASIA *nach kurzer Pause sachlich* Verzeihen Sie meine begreifliche Aufregung. Der unerwartete Tod François' hat meine Kraft erschöpft. Nehmen Sie noch eine Tasse Kaffee?

MISSISSIPPI Wirklich gern. Mein Beruf fordert eiserne Nerven.

Sie schenkt ein.

ANASTASIA Darf ich Sie mit Zucker bedienen?

MISSISSIPPI Ich danke Ihnen. Zucker beruhigt. Ich bin leider nicht in der Lage, für unsere wichtige Unterredung mehr als eine halbe Stunde aufwenden zu können. Ich habe diesen Nachmittag noch ein Todesurteil beim Geschworenengericht durchzusetzen. Geschworene sind heute borniert. *Er trinkt Kaffee.* Sie halten also immer noch am Glauben fest, daß Ihr Mann Sie nicht betrogen habe?

ANASTASIA Ich schwöre, daß er unschuldig ist.

MISSISSIPPI *nach einer kurzen Pause* Gut. Sie pochen auf seine Unschuld. Werden Sie das auch tun, wenn ich Ihnen den Namen der Frau nenne, mit der Ihr Gatte Sie betrogen hat?

ANASTASIA *springt auf* Wer ist dieses Weib?

MISSISSIPPI *nach einer kurzen Pause* Ich nannte den Namen: Madeleine.

ANASTASIA *entsetzt, da sie plötzlich begriffen hat* Ihre Frau?

MISSISSIPPI Meine Gattin.

ANASTASIA *grauenerfüllt* Aber sie ist doch tot?

MISSISSIPPI *mit äußerster Ruhe* Gewiß. Madeleine ist an einem Herzschlag gestorben. *Würdevoll* Wir sind von Ihrem toten Gatten François und meiner toten Gattin Madeleine hintergangen worden, gnädige Frau.

ANASTASIA Es ist entsetzlich!

MISSISSIPPI Die Tatsachen der Ehe sind oft entsetzlich. *Er trocknet sich mit einem Taschentuch den Schweiß ab.* Dürfte ich noch um eine Tasse Kaffee bitten?

ANASTASIA *vernichtet* Verzeihen Sie. Ich bin ganz verstört. *Sie schenkt ein.*

MISSISSIPPI *erleichtert* Die erste Etappe unseres fürchterlichen Weges wäre zurückgelegt! Sie haben gestanden, von der Untreue Ihres Gatten gewußt zu haben. Damit ist unendlich viel erreicht. Besaßen Sie die Beweise schon lange?

ANASTASIA *tonlos* Seit einigen Wochen. Als ich einen mit Madeleine unterzeichneten Brief fand, aus dem das leidenschaftlichste Liebesglück sprach, traf mich diese Entdeckung wie ein Keulenschlag. Ich werde die Tat meines Mannes nie begreifen können.

MISSISSIPPI Sie kannten meine Frau nicht: Sie war das liebenswürdigste Weib, jung, strahlend in ihrer Schönheit und mittellos. Die Tatsache ihrer Untreue stürzte mich in die unterste Hölle. Ich hatte ebenfalls einen Brief gefunden, auf dem oben unvorsichtigerweise die Geschäftsadresse Ihres Gatten stand. Ihre Liebe loderte schon so unmäßig, daß sie nicht mehr die primitivste Vorsicht kannten.

ANASTASIA Ich wollte nach dem Tode meines Mannes seine Untreue vergessen, um François in der Erinne-

rung wieder als den zu haben, der mich einst leidenschaftlich liebte und den zu lieben ich nie aufhören
werde. Verzeihen Sie mir, daß ich aus diesem Grund
Ihren Fragen zuerst ausgewichen bin. Sie haben mich
gezwungen, wieder an das Geschehene zu denken.

MISSISSIPPI Als Gatte jener Frau, mit der Sie Ihr Gatte
betrogen hat, konnte ich dies leider unmöglich ver-
meiden.

ANASTASIA Auch ich verstehe Sie. Als Mann brauchen Sie
Klarheit. *Sie steht auf.* Ich danke Ihnen, Herr Staatsanwalt, daß Sie auch mir, einem schwachen Weib, diese
Klarheit gegeben haben. Ich weiß nun alles über François, und es ist schrecklich, alles zu wissen. *Erschöpft*
Sie müssen mich jetzt entschuldigen, ich bin am Ende
meiner Kraft. Ihre Gattin und mein Gatte sind tot. Wir
können sie nicht mehr zur Rechenschaft ziehen. Wir
können nicht mehr um ihre Liebe flehen. Sie sind uns
jetzt für immer verloren.

Mississippi ist ebenfalls aufgestanden.

MISSISSIPPI *ernst* In diesem unerhörten Augenblick, da uns
die ersten Strahlen der Wahrheit berühren, ist es meine
von einem fünfundzwanzigjährigen Leben als Staatsanwalt geforderte Schuldigkeit, Ihnen zuzurufen, daß
wir einander jetzt endlich einmal die ganze Wahrheit
gestehen sollten, auch wenn wir von ihr vernichtet
werden.

Er sieht sie so entschlossen an, daß sie sich wieder setzen.

ANASTASIA Ich verstehe Sie nicht.

MISSISSIPPI Es betrifft den Tod Ihres Mannes.

ANASTASIA Ich weiß wirklich nicht, was Sie wollen.

MISSISSIPPI Die Tatsache, daß Sie mir völlig unmotiviert gleich zu Beginn meines Besuches die Todesursache Ihres Gatten bekanntgaben, Ihr panischer Schreck, als ich Ihnen meinen Beruf nannte, sagt mir genug.

ANASTASIA Ich bitte Sie, deutlich zu sein.

MISSISSIPPI Wenn Sie es wünschen, will ich mit äußerster Deutlichkeit reden. Ich bezweifle den Grund seines Todes.

ANASTASIA *schnell* Es sterben sehr viele Menschen im Alter von fünfzig Jahren an einem Herzschlag.

MISSISSIPPI Schon sein Bild beweist, daß ein Mann von seiner rosigen Gesundheit nicht an einem Herzschlag sterben kann. Außerdem sind Menschen, für die ich mich interessiere, noch nie an einem Herzschlag gestorben.

ANASTASIA Was wollen Sie damit sagen?

MISSISSIPPI Können Sie es mir wirklich nicht ersparen, daß ich Ihnen ins Gesicht schleudern muß, daß Sie Ihren Mann vergiftet haben?

ANASTASIA *ihn fassungslos anstarrend* Sie glauben?

MISSISSIPPI *klar* Ich glaube.

ANASTASIA *immer noch wie vor den Kopf geschlagen* Nein, nein!

Sie ist totenblaß. Mississippi nimmt erschöpft eine Rose aus der japanischen Vase und hält sie an seine Nase.

MISSISSIPPI Fassen Sie sich. Es muß doch für Sie wieder etwas Erleichterndes sein, von der Gerechtigkeit erfaßt zu werden.

ANASTASIA *plötzlich wild ausbrechend* Nein!

Mississippi stellt die Rose wieder in die Vase zurück.
Anastasia steht würdevoll auf. Mississippi desgleichen.

ANASTASIA Der Arzt, Doktor Bonsels, hat festgestellt, daß es sich beim Tod meines Gatten eindeutig um Herzschlag handelt. Ich darf ohne weiteres annehmen, daß auch der Staatsanwalt sich in das Urteil der Wissenschaft fügen wird.

MISSISSIPPI Wir gehören einer Gesellschaftsschicht an, gnädige Frau, bei der die Diagnose der Wissenschaft im Zweifelsfalle immer auf Herzschlag lautet.

ANASTASIA Da ich Ihnen gesagt habe, was hinsichtlich des uns alle überraschenden Todes meines Gatten hinzuzufügen war, bitte ich Sie, sich zu verabschieden.

MISSISSIPPI *kummervoll* Es wäre in diesem schrecklichen Falle meine Pflicht, unser Gespräch in einem andern Raume und unter anderen Umständen fortzusetzen.

ANASTASIA Ich kann Sie nicht hindern, Ihren sogenannten Pflichten nachzukommen.

MISSISSIPPI Sie können es, wenn Sie sich unvoreingenommen Ihre Lage vergegenwärtigen. Sie haben die seltene Gelegenheit, dem Staatsanwalt in Ihren vier eigenen Wänden gegenüberzustehen. Wollen Sie das im Gerichtssaal angesichts einer beleidigenden Öffentlichkeit tun? Ich hoffe nicht. Es ist mir sonst vollkommen schleierhaft, warum Sie das unbedingt Humane meines Vorgehens so schicksalhaft verkennen. Ein Mord läßt sich doch gewiß beim Kaffeetrinken viel leichter gestehen als vor dem Geschworenengericht.

Sie setzen sich wieder.

ANASTASIA *leise* Ich stehe zu Ihrer Verfügung.

MISSISSIPPI *erleichtert* So ist es sicher am besten.

ANASTASIA Aber keine Macht der Welt wird mich bewegen, das Verbrechen zu gestehen, das Sie mir unterschieben. Sie scheinen durch ein schreckliches Mißverständnis irregeführt zu sein.

MISSISSIPPI Nur die Angeklagten irren sich, nie der Staatsanwalt.

ANASTASIA Ich werde wie ein Tier um meine Unschuld kämpfen.

MISSISSIPPI *ernst* Beten Sie zu Gott, gnädige Frau, daß Ihnen dieser Kampf erspart bleibt. Es ist heller Wahnsinn, gegen mich zu kämpfen, und doch versuchen es die Menschen immer wieder. Minutenlang, stundenlang, tagelang, und dann brechen sie zusammen. Ich bin ergraut im Anblick meiner Opfer. Wollen auch Sie sich wie ein Wurm zu meinen Füßen krümmen? Begreifen Sie doch, daß hinter mir die sittliche Weltordnung steht und daß jeder verloren ist, der sich mir widersetzt. Gestehen mag schwer sein, aber gestehen müssen ist über jede Vorstellung fürchterlich.

ANASTASIA Sind Sie eigentlich Moralprediger oder Scharfrichter?

MISSISSIPPI Mein grauenhafter Beruf zwingt mich, beides zu sein.

ANASTASIA Sie können doch nicht einfach aus dem heiteren Himmel die wildesten Anklagen gegen mich erheben.

MISSISSIPPI Dann tut es mir leid, Ihnen den Namen Graf Bodo von Übelohe-Zabernsee nennen zu müssen.

Anastasia erschrickt maßlos, faßt sich dann wieder.

ANASTASIA *langsam* Ich kenne diesen Namen nicht.

MISSISSIPPI Sie haben mit Graf Übelohe die Jugendzeit in Lausanne zugebracht, wo Ihr Vater Lehrer an einem Töchterpensionat war und er in einem Schloß der gräflichen Familie aufwuchs. Sie trennten sich, und vor wenigen Jahren haben Sie sich wieder in dieser Stadt getroffen, Sie als Gattin Ihres nun ja verstorbenen Mannes und er als Chefarzt und Gründer der Armenklinik Sankt Georg.

ANASTASIA *langsam* Ich sehe ihn jetzt nur ganz flüchtig.

MISSISSIPPI Sie baten ihn am sechzehnten um zwei Stück eines weißen Giftes, das vollkommen zuckerähnlich ist, von dem er Ihnen anläßlich eines gemeinsamen Besuches des ›Götz von Berlichingen‹ sprach, als Sie auf den Tod Weislingens kamen. Sie sind beide kunstliebend.

ANASTASIA *hartnäckig* Er hat mir das Gift nicht gegeben.

MISSISSIPPI Bodo von Übelohe-Zabernsee hat alles gestanden.

ANASTASIA *heftig* Das ist nicht wahr!

MISSISSIPPI Nachdem ich drohte, ihm das Arztdiplom entziehen zu lassen, hat er, wohl um der Gefängnisstrafe zu entgehen, unsere Stadt Hals über Kopf verlassen und sich in die Tropen begeben.

ANASTASIA *springt auf* Bodo ist fort?

MISSISSIPPI Der Graf ist geflüchtet.

Anastasia sinkt wieder in den Sessel zurück. Mississippi wischt sich den Schweiß ab.

ANASTASIA *nach langer Pause dumpf* Warum haben Sie ihm diese grausame Maßnahme angedroht? Die Armenklinik Sankt Georg ist sein Lebenswerk.

MISSISSIPPI Ich habe nur gemäß den Gesetzen gehandelt, denen der Arztberuf unterstellt ist. *Nach einer kurzen Pause* Nach seiner in tiefster Verzweiflung gemachten Aussage hätten Sie ihm angegeben, Sie wollten mit dem Gift den Hund töten, eine Aussage, die natürlich in keiner Weise die Herausgabe des Giftes entschuldigt.

ANASTASIA *schnell* Ich mußte meinen Hund töten. Er war krank.

MISSISSIPPI *höflich* Sie müssen mir nun einen ganz kurzen Eingriff in die Rechte Ihres Hauses erlauben.

Er steht auf, verneigt sich und läutet mit der kleinen silbernen Glocke Anastasias. Von rechts kommt das Dienstmädchen.

MISSISSIPPI Wie heißen Sie?

DAS DIENSTMÄDCHEN Lukrezia.

MISSISSIPPI Besitzt die gnädige Frau einen Hund, Lukrezia?

DAS DIENSTMÄDCHEN Er ist tot.

MISSISSIPPI Wann ist der Hund gestorben, Lukrezia?

DAS DIENSTMÄDCHEN Vor einem Monat.

MISSISSIPPI Sie können jetzt wieder an Ihre Arbeit gehen, Lukrezia.

Das Dienstmädchen verschwindet nach rechts. Mississippi steht auf.

MISSISSIPPI Vor einem Monat haben Sie Ihren Hund verloren und vor fünf Tagen das Gift bei Ihrem Jugendfreund Graf Übelohe-Zabernsee geholt. Zwei Stück in

Zuckerform eines schnell tötenden Giftes. Am gleichen Tage ist Ihr Gatte gestorben. Wie lange soll sich diese für beide Teile entwürdigende Komödie noch abspielen, gnädige Frau? Sie zwingen mich, Mittel zu ergreifen, deren sich ein Staatsanwalt nur widerwillig bedient. Ich habe jetzt sogar Ihr Dienstmädchen befragen müssen.

Anastasia erhebt sich ebenfalls. Hier kann nun ruhig im Eifer des Gefechts ein kleiner Tanz um den Kaffeetisch aufgeführt werden.

ANASTASIA *leise* Ich habe meinen Gatten nicht vergiftet.

MISSISSIPPI Sie weichen also der klaren Vernunft nicht?

ANASTASIA Ich bin unschuldig.

MISSISSIPPI Keine Logik der Welt kann Sie bewegen, Ihren Mord zuzugeben?

ANASTASIA Ich habe meinen Gatten nicht getötet.

MISSISSIPPI *langsam* Dann war also die unsägliche Verzweiflung Madeleines ein leerer Wahn, als sie im Tode ihres Liebhabers einen Racheakt seiner beleidigten Gattin vermutete?

ANASTASIA *mit leuchtenden Augen* Ihre Frau war verzweifelt?

MISSISSIPPI Der Gedanke, daß Sie Ihren Gatten getötet haben könnten, brachte Madeleine an den Rand des Wahnsinns.

ANASTASIA *mit kaum verhaltenem Triumph* Sie hat vor ihrem Tode gelitten?

MISSISSIPPI Grauenvoll.

ANASTASIA *jubelnd* Ich habe erreicht, was ich wollte! Sie zahlte mir jede Sekunde ihrer Lust tausendfach mit

Verzweiflung zurück! Ich habe beide getötet! Er ist durch mich zugrunde gegangen und sie an ihm! Sie sind verendet wie zwei Tiere, sie sind krepiert wie Vieh!

Mississippi setzt sich wieder, ebenso Anastasia.

MISSISSIPPI Sie haben demnach Ihren Gatten vergiftet, gnädige Frau.

ANASTASIA Ja, ich habe ihn vergiftet. Wir haben uns geliebt, er hat mich betrogen, und dann habe ich ihn getötet.

MISSISSIPPI Sie gingen am Morgen des sechzehnten Mai zu Bodo von Übelohe-Zabernsee, er lieferte Ihnen als alter Jugendbekanntschaft und Freund Ihres Mannes das Gift aus, im blinden Glauben, Sie würden damit Ihren Hund töten, und Sie boten es Ihrem Gatten beim Mittagessen anstelle des Zuckers an.

ANASTASIA Er nahm ein Stück und starb.

MISSISSIPPI Das haben Sie alles getan?

ANASTASIA *mit fürchterlicher Erhabenheit* Ja, alles.

MISSISSIPPI Und Sie bereuen Ihre grauenhafte Tat nicht?

ANASTASIA Ich würde sie immer wieder tun.

MISSISSIPPI *kreideweiß* Ich blicke in einen Abgrund der Leidenschaft.

ANASTASIA *gleichgültig* Nun können Sie mich abführen.

MISSISSIPPI *steht langsam und feierlich auf* Ich bin nicht gekommen, Sie zu verhaften. Ich bin gekommen, Sie zu bitten, meine Frau zu werden.

Er verneigt sich feierlich. Fürchterliche Pause.

ANASTASIA *taumelnd* Sie wollen?

MISSISSIPPI *sachlich* Ich bitte um Ihre Hand.

ANASTASIA Sie bitten?

MISSISSIPPI Ich bin vermögend, sehr gut besoldet, lebe zurückgezogen, bin tief religiös, beschäftige mich außerhalb meines Berufes mit dem Sammeln alter Stiche, meist idyllische Landschaften, die mir den ursprünglichen schuldlosen Zustand der Natur am ehesten widerzuspiegeln scheinen, und darf eine für unseren Stand vollkommen ausreichende Pension erwarten.

ANASTASIA *leichenblaß* Das ist doch ungeheuerlich!

MISSISSIPPI *verneigt sich wieder* Das menschliche Leben ist ungeheuerlich, gnädige Frau.

Er setzt sich. Anastasia, wie hypnotisiert, setzt sich ebenfalls.

MISSISSIPPI Darf ich vielleicht noch um eine Tasse Kaffee bitten? *Er sieht auf die Uhr.* Ich habe noch zwölf Minuten Zeit.

ANASTASIA *bedient ihn mechanisch* Ich kann mir Ihre Handlungsweise ganz unmöglich erklären. Erst zwingen Sie mich, eine Tat zuzugeben, die jeden Mann mit unsäglichem Entsetzen vor der Möglichkeit weiblicher Existenz erfüllen muß, und dann bitten Sie mich kaltblütig, Ihre Frau zu werden.

MISSISSIPPI *sich mit Zucker bedienend, ruhig* Empfangen Sie von mir das fürchterliche Geständnis, daß ich meine Frau auch mit dem gleichen zuckerähnlichen Gift getötet habe wie Sie Ihren Gatten.

ANASTASIA *nach langer Pause entsetzt* Auch Sie?

MISSISSIPPI *felsenfest* Auch ich.

Anastasia ist wie vor den Kopf geschlagen, und Mississippi rührt mit dem Löffel in der Kaffeetasse.

MISSISSIPPI Nachdem ich den Rest des Giftes bei Graf Übelohe konfisziert hatte – es handelte sich noch einmal um zwei Stück –, ging ich heim und gab davon eines Madeleine nach dem Mittagessen in den schwarzen Kaffee, worauf sie eine halbe Stunde später sanft entschlief.

Er trinkt. Er stellt die Tasse ab.

MISSISSIPPI *dumpf* Es war die schlimmste halbe Stunde meines Lebens.

ANASTASIA *erschüttert* Das ist also das Geschick, das uns aneinanderfesselt.

MISSISSIPPI *erschöpft* Wir haben beide einander unsere Tat gestanden.

ANASTASIA Sie haben getötet und ich habe getötet. Wir sind beide Mörder.

MISSISSIPPI *fest* Nein, gnädige Frau. Ich bin kein Mörder. Zwischen Ihrer Tat und der meinen ist ein unendlicher Unterschied. Was S i e aus einem grauenvollen Trieb getan haben, tat i c h aus sittlicher Einsicht. Sie haben Ihren Mann hingeschlachtet und ich mein Weib hingerichtet.

ANASTASIA *tödlich erschrocken* Hingerichtet?

MISSISSIPPI *stolz* Hingerichtet.

ANASTASIA Ich weiß gar nicht, wie ich Ihre entsetzlichen Worte verstehen soll.

MISSISSIPPI Wörtlich. Ich habe meine Gattin vergiftet, weil sie durch ihren Ehebruch des Todes schuldig geworden war.

ANASTASIA In keinem Gesetzbuch der Welt steht auf Ehebruch die Todesstrafe.

MISSISSIPPI Im Gesetz Mosis.

ANASTASIA Das sind einige tausend Jahre her.

MISSISSIPPI Deshalb bin ich auch felsenfest entschlossen, es wieder einzuführen.

ANASTASIA Sie sind wahnsinnig.

MISSISSIPPI Ich bin nur ein vollkommen sittlicher Mensch, gnädige Frau. Unsere Gesetze sind im Verlaufe der Jahrtausende jämmerlich heruntergekommen. Sie sind außer Kurs gesetztes Papiergeld, das der guten Sitte wegen noch in einer Gesellschaft umläuft, deren einzige Religion der Genuß ist, die den Raub privilegiert hat und mit Frauen und Petroleum Tauschhandel treibt. Nur noch weltfremde Idealisten können glauben, daß der Check gedeckt ist, mit dem die Justiz zahlt. Unser Zivilgesetzbuch ist, verglichen mit dem Gesetz des Alten Testamentes, das für den Ehebruch den Tod beider Schuldigen vorschreibt, ein purer Hohn. Aus diesem heiligen Grunde war die Ermordung meiner Frau eine absolute Notwendigkeit. Es galt, den Lauf der Weltgeschichte, die das Gesetz verlor und eine Freiheit gewann, die sittlich in keiner Sekunde zu verantworten ist, wieder zurückzubiegen.

ANASTASIA Dann ist es mir vollkommen unerklärlich, warum Sie mich um die Ehe bitten.

MISSISSIPPI Sie sind schön. Und dennoch sind Sie schuldig. Sie rühren mich aufs tiefste.

ANASTASIA *unsicher* Sie lieben mich?

MISSISSIPPI Sie sind eine Mörderin, gnädige Frau, und ich bin der Staatsanwalt. Doch ist es besser, schuldig zu sein, als die Schuld zu sehen. Eine Schuld kann bereut werden, der Anblick der Schuld ist tödlich. Fünfundzwanzig Jahre habe ich in meinem Beruf Auge in Auge mit der Schuld gestanden, ihr Blick hat mich vernichtet. Ich habe nächtelang um die Kraft gefleht, wenigstens noch einen Menschen lieben zu können. Es war vergeblich. Ich kann nicht mehr lieben, was verloren ist, ich kann nur noch töten. Ich bin eine Bestie geworden, die der Menschheit an die Gurgel springt.

ANASTASIA *schaudernd* Und dennoch haben Sie den Wunsch geäußert, mich zu heiraten.

MISSISSIPPI Gerade die absolute Gerechtigkeit zwingt mich zu diesem Schritt. Ich richtete Madeleine privat hin, nicht staatlich. Ich habe mich durch diesen Schritt bewußt gegen die heutigen Gesetze vergangen. Für dieses Vorgehen muß ich bestraft werden, auch wenn meine Motive lauter wie Quellwasser sind. Doch bin ich gezwungen, in dieser unwürdigen Zeit, selbst mein Richter zu sein. Ich habe das Urteil gefällt. Ich habe mich verurteilt, Sie zu heiraten.

ANASTASIA *steht auf* Mein Herr.

MISSISSIPPI *erhebt sich ebenfalls* Gnädige Frau.

ANASTASIA Ich habe Ihren ungeheuerlichen Reden geduldig zugehört. Was Sie aber jetzt sagen, übersteigt die Schicklichkeit. Sie fassen eine Ehe mit mir offensichtlich als die Strafe für die Ermordung Ihrer Frau auf.

MISSISSIPPI Ich wünsche, daß auch Sie die Ehe mit mir als die Strafe für die Ermordung Ihres Gatten auffassen.

ANASTASIA *kühl* Sie halten mich demnach für eine gemeine Mörderin?

MISSISSIPPI Sie haben Ihren Mann nicht aus Gerechtigkeit vergiftet, sondern weil Sie ihn liebten.

ANASTASIA Jede andere, die wie ich ihren Gatten aus Liebe getötet hätte, hätten Sie dem Gericht übergeben?

MISSISSIPPI Ich hätte den Ehrgeiz meines Lebens daran gesetzt. Ich habe nur wenige Todesurteile nicht durchsetzen können, und jedesmal bin ich gesundheitlich an den Rand des Grabes gebracht worden.

ANASTASIA *nach einer langen Pause entschlossen* Holen Sie die Polizei!

MISSISSIPPI Das ist unmöglich. Wir sind durch unsere Tat unauflösbar miteinander verknüpft.

ANASTASIA Ich will keine Erleichterung der Strafe

MISSISSIPPI Davon kann gar keine Rede sein. Ich biete Ihnen mit unserer Ehe keine Erleichterung, sondern eine unendliche Erschwerung der Strafe an.

ANASTASIA *einer Ohnmacht nahe* Sie bieten mir eine Ehe an, um mich endlos foltern zu können!

MISSISSIPPI Um u n s endlos foltern zu können. Unsere Ehe würde für beide Teile die Hölle bedeuten!

ANASTASIA Das hat doch keinen Sinn!

MISSISSIPPI Wir müssen radikale Mittel anwenden, wenn wir uns sittlich heben wollen, gnädige Frau. Sie sind jetzt eine Mörderin, ich werde Sie durch unsere Ehe in einen Engel verwandeln.

ANASTASIA Sie können mich nicht zwingen.

MISSISSIPPI Ich fordere Sie im Namen der absoluten Sittlichkeit zum Weib!

ANASTASIA *hinter die spanische Wand taumelnd* Holen Sie die Polizei!

MISSISSIPPI Ich habe in meiner fünfundzwanzigjährigen Tätigkeit als Staatsanwalt über zweihundert Todesurteile durchgesetzt, eine Zahl, die sonst in der bürgerlichen Welt noch nie auch nur entfernt erreicht worden ist. Soll dieses übermenschliche Werk durch ein schwaches Weib vernichtet werden? Wir gehören beide der höchsten heutigen Gesellschaftsschicht an, gnädige Frau, ich bin Staatsanwalt, und Ihr Gatte besaß eine Rübenzuckerfabrik, lassen Sie uns nun auch Wesen der höchsten Verantwortung sein. Heiraten Sie mich! Gehen Sie mit mir das Martyrium unserer Ehe ein!

ANASTASIA *mit letzter Verzweiflung gellend* Holen Sie die Polizei!

MISSISSIPPI *eiskalt* In einer Zeit, da Mord, Ehebruch, Raub, Unzucht, Lüge, Brandstiftung, Ausbeutung und Gotteslästerung nicht unweigerlich mit dem Tode bestraft werden, ist unsere Ehe ein Triumph der Gerechtigkeit!

ANASTASIA *totenblaß* Mein Gott!

MISSISSIPPI *ungeheuerlich* Heiraten Sie mich!

ANASTASIA *verzweifelt nach dem Bild im Hintergrund blickend* François!

MISSISSIPPI Sie willigen demnach in die Ehe mit mir ein?

ANASTASIA Ich willige in die Ehe mit Ihnen ein.

MISSISSIPPI *streift seinen Ehering vom Finger* Dann bitte ich Sie, mir den Ring Ihres toten Gatten zu überreichen.

Anastasia streift ihren Ehering vom Finger und steckt ihn an seinen Finger.

MISSISSIPPI Nehmen Sie jetzt den Ring Madeleines in Empfang.

Er steckt den Ring an ihren Finger. Er verneigt sich.

MISSISSIPPI Sie sind nun meine Frau.

ANASTASIA *tonlos* Ich bin Ihre Frau.

MISSISSIPPI Vor den gesetzlichen Formalitäten werden Sie ein halbes Jahr in die Schweiz gehen. Grindelwald, Wengen und vielleicht noch Adelboden kommen in Frage. Ihre Nerven sind angegriffen. Die Bergluft wird Sie erfrischen. Die Prospekte der genannten Orte lasse ich Ihnen durch den Verkehrsverein schicken.

Er läutet mit der kleinen silbernen Glocke. Rechts erscheint das Dienstmädchen.

MISSISSIPPI Den Zylinder, den Stock und den Mantel!

Das Dienstmädchen verschwindet.

MISSISSIPPI Wir lassen uns im calvinistischen Gotteshaus trauen. Die gesetzlichen Formalitäten wird der Justizminister vornehmen, die kirchlichen der Landesbischof Jensen. Sie sind beide meine Jugendfreunde, wir haben zusammen in Oxford studiert. Die Wohnung werden wir hier haben, ich befinde mich zehn Minuten näher beim Geschworenengericht. Falls meine Sammlung alter Stiche nicht Platz findet, lassen wir anbauen. Unser Leben wird hart sein. Als treue Gattin haben Sie mir in Leid und Freud meines Berufs beizustehen. Die Besichtigung der durch mich erzielten Hinrichtungen unternehmen wir gemeinsam. Sie finden jeweils freitags statt. Außerdem erwarte ich von Ihnen, daß Sie sich der zum Tode Verurteilten seelisch annehmen, besonders derer, die den unbemittelten Schichten der Bevölkerung angehören. Sie werden ihnen Blumen,

Schokolade und Zigaretten bringen, falls sie rauchen. Hinsichtlich meiner alten Stiche dürfte der Besuch einiger Vorlesungen auf der Hochschule genügen. *Er verneigt sich, dann mit einem plötzlichen Schrei* Und nun werde ich mein Todesurteil heute nachmittag todsicher durchsetzen!

Er steht unbeweglich. Stille.

ANASTASIA *faßt mit beiden Händen an die Stirne und schreit auf einmal verzweifelt auf* Bodo! Bodo!

Sie stürzt nach links hinaus.

MISSISSIPPI Dies, meine Damen und Herren, gestehen wir es, dies war vor fünf Jahren der dramatische Anfang einer Ehe, die zwar eine Hölle wurde – und was für eine Hölle –, die aber, und das dürfte wohl das Entscheidende sein, uns beide, meine Frau und mich, entschieden läuterte: Ich stürzte Hals über Kopf ins Geschworenengericht, Anastasia versteinerte, ich triumphierte, hatte doch die Gerechtigkeit gesiegt, und meine Frau wurde leichenblaß. Leider konnte ich ihren verzweifelten Schrei Bodo, Bodo, wobei sie mit ihren Händen an die Stirne griff – Sie haben es eben festgestellt –, nicht mehr vernehmen. Ich befand mich damals schon im Treppenhaus oder gar auf der Straße: Ein Umstand, den ich tief bedaure, nicht etwa, weil ich an meiner Gattin zweifle – ich halte sie noch jetzt für unschuldig und der entsetzlichen Sünde des Ehebruchs – und sei dies auch nur in Gedanken – für vollkommen unfähig – aber ich hätte doch der Tatsache mehr Rech-

nung getragen, daß sie mit rein freundschaftlichen
Gefühlen einem so exaltierten und in seiner Einbil-
dungskraft so hemmungslos überbordenden Grafen
verbunden war – *Draußen vor dem Fenster torkelt
Graf Übelohe vorüber* – als einer Kindheitserinnerung,
der sie die Treue hielt. Vieles hätte so vermieden
werden können. Vieles, wenn auch nicht der Zusam-
menbruch meiner wahrhaft gigantischen Bemühung,
die Welt von Grund auf durch das Gesetz Mosis zu
restaurieren, wohl aber unser beider bitteres Ende.
Doch gehören die an seelischen Strapazen nicht armen
Jahre meiner zweiten Ehe trotzdem zu meinen glück-
lichsten, auch beruflich, denn es gelang mir bekannt-
lich, die Zahl meiner Todesurteile von zweihundert auf
dreihundertfünfzig zu erhöhen, von denen nur elf –
unter skandalösen Umständen durch Gnadenakte des
Ministerpräsidenten verhindert – nicht durchgeführt
werden konnten. Unsere Ehe bewegte sich durchaus
regelmäßig in der vorgeschlagenen Bahn. Meine Frau
vertiefte – wie vorausgesehen – ihren Charakter
erklecklich und wurde auch religiösen Gefühlen
gegenüber positiver, die Hinrichtungen sah sie sich an
meiner Seite gefaßt und ruhig an, ohne ihr gesundes
Mitgefühl für die Exekutierten je durch Routine zu
verlieren. *Ein Bild schwebt im Vordergrund nieder,
Anastasia und Mississippi beim Besuch einer Hinrich-
tung zeigend.* Der tägliche Besuch im Zuchthaus, der
ihr bald zu einem Herzensbedürfnis wurde, erfüllte sie
mit immer neuer Hilfsbereitschaft, so daß man sie
allgemein den Engel der Gefängnisse nannte, kurz, es
war eine fruchtbare Zeit, die meine These, daß nur ein
peinlich befolgtes Gesetz, das im Metaphysischen ver-

ankert ist, den Menschen zu einem besseren, ja höheren Wesen zu machen imstande sei, glänzend bestä-
tigte. *Das Bild schwebt wieder in die Höhe.* So sind
denn einige Jahre vergangen. Gaben wir den Anfang
meiner Ehe, geben wir nun das Ende. Das Zimmer hat
sich wenig verändert. Zwei Stiche Rembrandts und
Seghers hängt eben das Dienstmädchen auf – *Das
Dienstmädchen kommt von rechts und hängt die Stiche
auf* – das dürfte genügen, um Ihnen den Eindruck
unseres Milieus zu vermitteln: Die übrigen Stiche
befinden sich teils im Arbeitszimmer, Türe rechts hinten – von Ihnen aus gesehen –, teils im Boudoir
Anastasias und in ihrem Schlafzimmer, Tür links, teils
auch im Vorraum, Türe rechts vorne. Neben dem
schwarz umflorten Bilde des unter so unglücklichen
Umständen verschiedenen Rübenzuckerfabrikanten
hängt noch das Bildnis meiner ebenfalls ähnlich verstorbenen ersten Gattin Madeleine, das Porträt einer
blonden, etwas sentimentalen jungen Frau, wie Sie
sehen – *Das Bild senkt sich im Hintergrund neben das
Bildnis des Rübenzuckerfabrikanten, das noch vom
ersten Akt her hängt* – ebenfalls schwarz umflort. *Das
Dienstmädchen ist inzwischen nach rechts hinausge-
gangen.* Außerdem hält sich noch mein Freund Diego
im Zimmer auf, der zwar nicht, wie eben vorhin,
durch die Standuhr den Raum betrat, was nun doch
reichlich unwahrscheinlich wäre, sondern den ich
durch die Türe rechts hineinführte. *Diego ist durch die
Standuhr ins Zimmer getreten und richtet nun, vor
dem Spiegel, durch den hindurch man das Publikum
sieht, die Krawatte.* Diego ist seines Zeichens Justizminister des Landes, nicht ganz genau bestimmt, nicht

ganz genau bestimmbar, in welchem sich dieses Zimmer befindet, Diego – auch das möchte ich erwähnen – nimmt an den philanthropischen Bemühungen meiner Frau innerlich aufs tiefste teil. Er ist Ehrenmitglied der Gefangenenfürsorge, die von meiner Gattin präsidiert wird. Sie sind im Bilde, meine Damen und Herren, wir dürfen beginnen. Der Minister hat sich eine Zigarre angezündet, ein Zeichen, daß er mich zu sprechen wünscht.

DER MINISTER Nun dürfte ...

MISSISSIPPI Einen Moment – *Er zündet sich ebenfalls eine Zigarre an.*

DER MINISTER Nun dürfte deine Ehe ...

MISSISSIPPI *wieder zum Publikum* Es ist Nacht, auch das wollen wir nicht vergessen, eine düstere Novembernacht. Schon ändern wir die Beleuchtung, schon senkt sich ein brennender Lüster herab, alles in eine bräunliche Wolke aus Gold hüllend.

DER MINISTER Nun dürfte deine Ehe mit dem Engel der Gefängnisse schon fünf Jahre dauern.

MISSISSIPPI Daß mich meine Gattin moralisch so außerordentlich unterstützt, erfüllt mich mit lebhafter Genugtuung.

DER MINISTER Es ist wirklich selten, daß eine Frau jene tröstet, die von ihrem Mann gehenkt werden. Dein Arbeitseifer ist erstaunlich. Eben hast du dein dreihundertfünfzigstes Todesurteil durchgesetzt.

MISSISSIPPI Ein weiterer Triumph meiner Laufbahn. Wenn es auch leichtfiel, den Tantenmörder an den Galgen zu bringen, so machte mich doch nie ein Erfolg zuversichtlicher. Du bist gekommen, mir zu gratulieren.

DER MINISTER Ich bewundere dich zwar als Jurist, doch

bin ich als Justizminister gezwungen, mich von dir zu distanzieren.

MISSISSIPPI Das ist mir neu.

DER MINISTER Die Weltlage hat sich schließlich etwas geändert. Ich bin Politiker. Ich kann es mir unmöglich leisten, ebenso unpopulär zu werden wie du.

MISSISSIPPI Ich lasse mich durch die Öffentlichkeit nicht beirren.

DER MINISTER Du bist ein Genie, und die Richter sind dir hilflos ausgeliefert. Die Regierung hat dir wiederholt Milde empfohlen.

MISSISSIPPI Die Regierung braucht mich.

DER MINISTER Brauchte dich. Das ist ein kleiner Unterschied. Ein scharfer Kurs im Strafvollzug war ganz nützlich. Es galt, die politischen Morde zu bestrafen und die Ruhe wiederherzustellen. Aber nun ist es wohl am besten, der Opposition dadurch das Wasser abzugraben, daß man wieder bescheiden zu einer etwas gemäßigten Justiz zurückkehrt. Bald muß man in Gottes Namen köpfen, bald dem Teufel zuliebe gnädig sein, darum kommt kein Staat herum. Deine Amtsführung hat uns zwar einmal gerettet, aber nun bedroht sie uns. Sie hat uns in der ganzen westlichen Welt hoffnungslos lächerlich gemacht und die extreme Linke unnötig aufgestachelt. Wir müssen die nötigen Schritte unternehmen. Ein Staatsanwalt, der dreihundertfünfzig Todesurteile durchgesetzt hat und öffentlich zu erklären wagt, man sollte das Gesetz Mosis wieder einführen, ist nicht mehr tragbar. Wir sind zwar heutzutage alle etwas reaktionär, sieht man genau hin, das gebe ich zu, doch so radikal wie du braucht man doch um Gottes willen nicht vorzugehen.

MISSISSIPPI Was hat die Regierung beschlossen?

DER MINISTER Der Ministerpräsident wünscht deinen Rücktritt

MISSISSIPPI Er hat dich beauftragt, mir das mitzuteilen?

DER MINISTER Das ist allerdings der Grund meines Kommens.

MISSISSIPPI Beamte können nach dem Beamtengesetz nur entlassen werden, wenn gemeine Verbrechen vorliegen, Betrug, Beziehungen zu fremden Mächten oder zu einer Partei, die den Umsturz plant.

DER MINISTER Du weigerst dich zurückzutreten?

MISSISSIPPI Ich weigere mich.

DER MINISTER Der Ministerrat müßte dich zwingen.

MISSISSIPPI Die Regierung muß sich im klaren sein, daß sie gegen den Ersten Juristen der Welt kämpft.

DER MINISTER Dein Kampf ist hoffnungslos. Du bist der meistgehaßte Mann der Welt.

MISSISSIPPI Euer Kampf ist ebenso hoffnungslos. Ihr seid durch mich die meistgehaßte Regierung der Welt.

DER MINISTER *nach einer Pause* Wir haben schließlich zusammen in Oxford studiert.

MISSISSIPPI Gewiß.

DER MINISTER Es ist mir unerklärlich, wie ein Mann deines Geistes und von deiner ja doch nicht unbedeutenden Herkunft ausgerechnet am Köpfen ein so großes Wohlgefallen bekommen kann. Wir gehören nun einmal zu den besten Familien des Landes, und das allein sollte uns doch schon eine gewisse Zurückhaltung auferlegen.

MISSISSIPPI Eben.

DER MINISTER Was willst du damit sagen?

MISSISSIPPI Meine Mutter war eine italienische Prinzessin

und mein Vater ein amerikanischer Kanonenkönig,
nicht wahr? Dein Großvater ein berühmter General,
der unzählige Schlachten verloren hat, und dein Vater
Gouverneur in den Kolonien, Unterdrücker verschiedener Negeraufstände. Unsere Familien ließen planlos
Köpfe rollen, ich fordere den Tod Schuldiger. Sie
nannte man Helden, mich nennt man einen Henker.
Wenn mein beruflicher Erfolg ein schiefes Licht auf die
besten Familien des Landes wirft, so rücke ich sie
damit nur ins richtige Licht.

DER MINISTER Du fällst uns in den Rücken.

MISSISSIPPI Du fällst vor allem der Gerechtigkeit in den
Rücken.

DER MINISTER Als Justizminister muß ich die Gerechtigkeit danach einschätzen, ob sie politisch tragbar ist
oder nicht!

MISSISSIPPI Man kann die Gerechtigkeit nicht ändern!

DER MINISTER Alles in der Welt kann geändert werden,
mein lieber Florestan, nur der Mensch nicht. Dies muß
man eingesehen haben, um regieren zu können. Regieren heißt steuern, nicht hinrichten. Ideale sind schön
und gut, aber ich habe mich an das Mögliche zu halten
und ohne sie auszukommen, wenn ich nicht gerade
eine Rede halte. Die Welt ist schlecht, aber nicht
hoffnungslos, dies wird sie nur, wenn ein absoluter
Maßstab an sie gelegt wird. Die Gerechtigkeit ist nicht
eine Hackmaschine, sondern ein Abkommen.

MISSISSIPPI Für dich ist die Gerechtigkeit vor allem ein
Einkommen.

DER MINISTER Ich bin dein Trauzeuge. Aber ich werde
morgen gezwungen sein, im Ministerrat gegen dich zu
stimmen. *Er legt die Zigarre auf den Aschenbecher.*

MISSISSIPPI Ich habe der Regierung nichts mehr auszurichten.

DER MINISTER Ich habe den Auftrag des Ministerpräsidenten ausgeführt und mit dir gesprochen. Ich bitte dich, mich nun hinauszuführen.

Sie verschwinden durch die Türe rechts. Das Zimmer ist leer. Von links kommt Saint-Claude, nun mit einem dunkelbraunen Bocksbart, während er zu Beginn glatt rasiert war. Er trägt grobe Kleider. Braune Lederjacke. Ob sich das Publikum irrt, wenn es ihm scheint, Saint-Claude komme eben von Anastasia, deren Hand er beim Auftreten küßt? Die Frau im weißen Nachtkleid kann ja auch jemand anders gewesen sein, so flüchtig ist sie zu sehen: Diese Frage wollen wir einstweilen offenlassen. Saint-Claude geht zum Tisch, nimmt die Zigarre des Ministers, riecht daran, raucht sie weiter. Dann geht er zum Fenster rechts im Hintergrund und öffnet es. Bewundert die Liebesgöttin. Setzt sich dann links an den Kaffeetisch. Von rechts kommt Mississippi zurück.

SAINT-CLAUDE *ohne aufzusehen* Guten Abend, Paule.

Mississippi bleibt unbeweglich in der Tür stehen.

MISSISSIPPI *langsam sich fassend* Du!

SAINT-CLAUDE Ja, ich. Du hast es erreicht, Paule. Du bist Generalstaatsanwalt geworden, führst den Namen Florestan Mississippi, füllst die Zeitungen mit deinen Taten, bist im Besitz einer Wohnung mit alten Möbeln verschiedener Epochen und sicher auch einer schönen Frau. *Er stößt einen Rauchring von sich.*

MISSISSIPPI Und wie nennst du dich jetzt?

SAINT-CLAUDE Noch schöner als du: Frédéric René Saint-Claude.

MISSISSIPPI Auch dir scheint es nicht schlecht zu gehen.

SAINT-CLAUDE Ich habe es eben auch geschafft. Ich bin Bürger der Sowjetunion geworden, Oberst der Roten Armee, Ehrenbürger Rumäniens, Abgeordneter des polnischen Parlaments und Mitglied des Politbüros der Kominform.

MISSISSIPPI Wie bist du hereingekommen?

SAINT-CLAUDE Durchs Fenster.

MISSISSIPPI Dann will ich es schließen.

Er geht in den Hintergrund rechts und schließt das Fenster.

MISSISSIPPI Was willst du von mir?

SAINT-CLAUDE Wenn man so lange im Ausland gelebt hat, besucht man bei seiner Rückkehr zuerst die alten Bekannten.

MISSISSIPPI Du bist natürlich illegal über die Grenze gekommen.

SAINT-CLAUDE Natürlich. Ich habe schließlich den Auftrag, hier die Kommunistische Partei neu zu organisieren.

MISSISSIPPI Unter welchem Namen?

SAINT-CLAUDE Partei für Volk, Glaube und Heimat.

MISSISSIPPI Was hat dies mit mir zu tun?

SAINT-CLAUDE Du wirst dich doch wohl langsam nach einer neuen Stelle umsehen müssen, lieber Paule.

MISSISSIPPI *tritt langsam an den Tisch* Wie meinst du das?

SAINT-CLAUDE Ich denke, dir bleibt nichts anderes übrig,

als die Forderung des Ministerpräsidenten anzunehmen.

MISSISSIPPI *setzt sich langsam rechts an den Tisch, Saint-Claude gegenüber* Du hast meine Unterredung mit dem Justizminister belauscht.

SAINT-CLAUDE *erstaunt* Wieso? Ich habe einfach den Minister für Innere Sicherheit bestochen.

MISSISSIPPI Die Anteilnahme eines Sowjetbürgers an meiner Person kommt mir unheimlich vor.

SAINT-CLAUDE Du bist international eine derart berüchtigte Gestalt geworden, daß sogar wir uns für dich interessieren. Ich bin gekommen, dir einen Antrag zu machen.

MISSISSIPPI Ich wüßte nicht, was wir noch miteinander zu tun haben könnten.

SAINT-CLAUDE Die Kommunistische Partei dieses Landes braucht endlich einmal einen Kopf. Dazu haben wir dich ausersehen.

MISSISSIPPI Das ist ein sehr merkwürdiger Vorschlag.

SAINT-CLAUDE Es gibt keine bessere Empfehlung für einen solchen Posten, als dreihundertfünfzig Todesurteile durchgesetzt zu haben.

Mississippi steht auf und geht zum Fenster rechts, wo er mit dem Rücken zum Publikum stehenbleibt.

MISSISSIPPI Und wenn ich ablehne?

SAINT-CLAUDE Dann müssen wir dich an deiner schwachen Stelle packen.

MISSISSIPPI Ich habe keine schwache Stelle. Am sittlichen Ernst meiner Absicht zweifelt kein Mensch.

SAINT-CLAUDE Unsinn. Jeder Mensch hat eine tödliche

Stelle. Die deine liegt nicht in deinem Angriff auf die Gesellschaft, sie liegt in dir selbst. Du wendest auf die Welt den Maßstab der absoluten Sittlichkeit an, und dies ist nur möglich, weil die Welt dich als sittlich annimmt. Deine Wirksamkeit muß dann mit einem Schlag zusammenbrechen, wenn es gelingt, den Nimbus deiner Tugend zu zerstören.

MISSISSIPPI Ein solcher Angriff ist unmöglich.

SAINT-CLAUDE Meinst du das wirklich?

MISSISSIPPI Ich bin den Weg der Gerechtigkeit gegangen.

Saint-Claude steht auf.

SAINT-CLAUDE *ruhig* Du hast vergessen, daß ich zurückgekommen bin.

Mississippi kehrt sich um. Schweigen.

MISSISSIPPI *totenbleich* Du hast recht. Ich habe nicht erwartet, dich noch einmal in meinem Leben zu sehen.

SAINT-CLAUDE Unser Zusammentreffen war leider unumgänglich. Du hast schließlich nicht nur durch deine Todesurteile einen hervorragenden Platz in der Gesellschaft erobert. Du führst auch den Namen Florestan Mississippi, leitest deine Abstammung von einer italienischen Prinzessin her und hast in Oxford studiert. Wie eine Sonne bist du in die Welt getaucht, die, von deinem Feuer geblendet, nie deine Herkunft untersucht hat.

MISSISSIPPI *keuchend* Louis!

SAINT-CLAUDE Recht so, Paule! Rufe die Finsternis an, aus der du gekommen bist!

MISSISSIPPI Ich will nichts mehr von ihr wissen!

SAINT-CLAUDE Aber sie will um so mehr von dir wissen.

MISSISSIPPI Hyäne!

SAINT-CLAUDE Es freut mich, daß du wieder die Sprache findest, die uns angemessen ist. Vergessen wir nicht unseren Adel. Für unsere Zeugung zahlte man nicht mehr denn fünf Lire, die Gosse wurde rot, als wir kamen. Ratten zeigten uns, was das Leben ist, die Pelze feucht vom Abwasser, und vom Ungeziefer, das über unsere Leiber kroch, lernten wir den unwiederholbaren Ablauf der Zeit.

MISSISSIPPI Schweig.

SAINT-CLAUDE O bitte. Setzen wir uns wieder in deine Louis-Quatorze-Stühle.

Er setzt sich. Mississippi kommt zum Tisch.

MISSISSIPPI Als wir vor dreißig Jahren auseinandergingen, gaben wir uns das Versprechen, einander nie mehr zu sehen.

SAINT-CLAUDE *rauchend* Gewiß.

MISSISSIPPI Dann geh.

SAINT-CLAUDE Ich bleibe.

MISSISSIPPI Du willst dein Wort brechen?

SAINT-CLAUDE Natürlich. Das Halten eines Ehrenwortes ist ein Luxus, den uns unsere Herkunft gar nicht gestattet. Was sind wir denn, Paule? Zuerst stahlen wir gar die Lumpen zusammen, die unsere Leiber deckten, und dreckige Kupfermünzen, um verschimmeltes Brot für unsere Bäuche zu erstehen, dann waren wir gezwungen, uns selbst zu verkaufen, weiße Opfer in den Händen fetter Bürger, deren Lust über uns wie

Katzengeschrei in den Himmel stieg, und schließlich
übernahmen wir mit dem sauer verdienten Geld, zwar
mit geschändeten Hintern, aber im Stolz junger Unter-
nehmer, ich als Patron und du als Portier, die Leitung
eines Bordells.

Lange Pause. Mississippi setzt sich.

MISSISSIPPI *keuchend* Wir mußten leben!
SAINT-CLAUDE Wieso? Wenn wir uns damals an die näch-
ste Laterne geknüpft hätten, wäre kein Mensch dagegen gewesen.
MISSISSIPPI Wozu hätte ich denn dieses ungeheure Elend
geduldet, wenn mir nicht in einer nassen Kellerecke
eine halbvermoderte Bibel in die Hände gefallen wäre,
in der ich lesen lernte, nächtelang, steifgefroren im
Schein der Gaslaternen? Wäre ich e i n e n Tag länger am
Leben geblieben, wenn mich nicht die Vision des
Gesetzes wie ein Feuermeer überflutet hätte, welches
in unsere Finsternisse schoß, so daß von diesem
Augenblick an alles, was ich tat, die tiefste Erniedri-
gung und das gemeinste Verbrechen, nur dem Ziele
galt, in Oxford zu studieren, um als Staatsanwalt das
Gesetz Mosis wiedereinzuführen, getrieben von der
Erkenntnis, daß die Menschheit dreitausend Jahre
zurückgehen muß, um wieder vorwärts zu kommen?
SAINT-CLAUDE *wild* Habe auch ich etwa nicht die Vision
gehabt, wie man diese von Hunger, Fusel und Verbrechen stinkende Welt bessern kann, diese Hölle, die
von den Gesängen der Reichen und dem Heulen der
Ausgebeuteten widerhallt? Habe ich etwa nicht in der
Tasche eines ermordeten Zuhälters ›Das Kapital‹ von

Marx gefunden, und habe ich etwa nicht dieses furchtbare, uns aufgezwungene Leben nur geführt, um einmal die Weltrevolution auszurufen? Wir sind die zwei letzten großen Moralisten unserer Zeit. Wir sind beide untergetaucht. Du in der Maske des Henkers und ich in der Maske des Sowjetspions.

MISSISSIPPI Nimm die Hände von meinen Schultern.

SAINT-CLAUDE Entschuldige.

MISSISSIPPI Du bist gekommen, mich zu erpressen?

SAINT-CLAUDE Wenn du nicht Vernunft annehmen willst.

MISSISSIPPI Zehn Jahre habe ich in deinem Bordell eine erbärmliche Arbeit geleistet, und du hast mir dafür das Studium ermöglicht. Wir sind einander nichts mehr schuldig.

SAINT-CLAUDE Es gibt etwas, das man nicht bezahlen kann: das Leben. Du hast es gewählt, und ich habe es dir gegeben. Ich zeigte dir den fürchterlichen Schleichweg, der vom Tier zum Menschen führt, und du bist ihn gegangen. Nun ist es an mir, die Forderung zu stellen. Ich habe dich nicht umsonst aus der Gosse zusammengelesen. Es geht um Sein oder Nichtsein der kommunistischen Idee. Du bist ein zu hoffnungsvolles Genie, als daß man aus dir nicht Kapital schlagen sollte.

MISSISSIPPI Ich kämpfe mit gleicher Leidenschaft gegen den Westen und gegen den Osten.

SAINT-CLAUDE Dagegen habe ich nicht das geringste, wenn man zuerst den einen totschlägt und dann den andern und nicht beide zusammen angreift: Sonst ist das Ganze eine ungeheure Dummheit. Es geht nicht um unsere Sympathien, es geht um die Wirklichkeit. Es ist nun einmal unser welthistorisches Pech, daß

ausgerechnet die Russen den Kommunismus angenommen haben, die dazu gänzlich ungeeignet sind,
und diese Katastrophe müssen wir überwinden.

MISSISSIPPI Diese Lehre wagst du natürlich nicht öffentlich zu vertreten!

SAINT-CLAUDE Ich gehe schließlich im Hause Molotows
ein und aus. Ich habe nicht Selbstmord zu begehen, ich
habe die Weltrevolution durchzuführen. Der Kommunismus ist die Lehre, wie der Mensch über die Erde
herrschen soll, ohne den Menschen zu unterdrücken.
So habe ich ihn in den heiligen Nächten meiner Jugend
verstanden. Aber ich kann diese Lehre ohne Macht
nicht durchsetzen. Darum müssen wir mit den Mächten rechnen. Sie sind die Schachfiguren, mit denen wir
unsere Züge vollziehen. Wir müssen wissen, was ist,
wir müssen wissen, was wir wollen, und wir müssen
wissen, was zu tun ist. Das sind drei schwere Dinge.
Die Welt ist als Ganzes unsittlich geworden. Die einen
fürchten für ihre Geschäfte und die andern für ihre
Macht. Die Revolution muß sich gegen alle richten.
Der Westen hat die Freiheit verspielt und der Osten
die Gerechtigkeit; im Westen ist das Christentum eine
Farce geworden und im Osten der Kommunismus;
beide Teile haben sich selbst verraten; die Weltlage ist
für einen richtigen Revolutionär ideal. Aber die Vernunft zwingt uns, auf den Osten zu setzen. Rußland
muß siegen, damit der Westen versinkt, und im
Augenblick des russischen Sieges muß der Aufstand
aller im Namen des Kommunismus gegen den Sowjet-
staat eröffnet werden.

MISSISSIPPI Du träumst.

SAINT-CLAUDE Ich rechne.

MISSISSIPPI Nur das Gesetz kann die Welt ändern.

SAINT-CLAUDE Siehst du, da sind wir wieder in unserer Jugend angelangt, unter den nassen Kellerbögen. Das Gesetz! Nächtelang schlugen wir uns blutig, wenn es um das Gesetz ging, und rollten einer über den andern, todmüde, die Schutthalden hinab in den grauenden Morgen. Wir wollten beide die Gerechtigkeit. Aber du wolltest die Gerechtigkeit des Himmels und ich die Gerechtigkeit der Erde! Du willst eine imaginäre Seele retten und ich einen realen Leib!

MISSISSIPPI Es gibt keine Gerechtigkeit ohne Gott!

SAINT-CLAUDE Es gibt nur eine Gerechtigkeit ohne Gott. Dem Menschen kann nichts anderes helfen als der Mensch. Aber du hast auf eine andere Karte gesetzt: auf Gott; und darum mußt du nun die Erde aufgeben, denn, wenn du an Gott glaubst, ist der Mensch immer schlecht, weil bei Gott allein das Gute ist. Was zögerst du noch? Das Gesetz Gottes kann der Mensch nicht erfüllen, er muß sich selbst das Gesetz schaffen. Wir haben beide Blut vergossen, du hast dreihundertfünfzig Verbrecher getötet, und ich habe meine Opfer nie gezählt. Was wir tun, ist Mord, darum müssen wir es sinnvoll tun. Du hast im Namen Gottes gehandelt und ich im Namen des Kommunismus. Meine Tat ist besser als die deine, denn ich will etwas in der Zeit und du etwas in der Ewigkeit. Die Welt hat nicht die Erlösung von den Sünden nötig, sie muß vom Hunger und von der Unterdrückung erlöst werden, sie hat nicht auf den Himmel zu hoffen, sie hat alles von dieser Erde zu erhoffen. Der Kommunismus ist das Gesetz in seiner modernen Form. Was opferst du noch Menschen, wenn ich schon operiere; was bist du noch Theologe, wo ich schon Wissenschaftler bin? Wirf ihn ins Feuer, deinen Gott, und du hast die Menschlichkeit, den trunkenen Traum unserer Jugend.

MISSISSIPPI Blas mir nicht den Rauch ins Gesicht.

SAINT-CLAUDE Feine Marke. *Drückt die Zigarre aus.* Du willst nicht zu uns kommen?

MISSISSIPPI Nein.

SAINT-CLAUDE Wir brauchen deinen Kopf, wie ich dir sagte.

MISSISSIPPI Das ist zweideutig.

SAINT-CLAUDE Das ist eindeutig geworden. Ich wollte deinen Kopf als Instrument, jetzt will ich ihn als Beute. Die Papiere, die dich zu einem Verwandten des italienischen Königshauses machten, habe ich gefälscht. Das Geld zu deinem Studium kam aus meinem Bordell.

MISSISSIPPI Was willst du tun?

SAINT-CLAUDE Da ich dich nicht als das haben kann, was du für uns sein könntest, nehme ich dich als das, was du für uns bist: als einen Henker. Es gibt nur e i n e n Kampf, der die Masse lockt, den Kampf gegen den, der dreihundertfünfzig Todesurteile durchgesetzt hat, unter ihnen einundzwanzig Kommunisten.

MISSISSIPPI Die gemeine Mörder waren!

SAINT-CLAUDE Die Gewerkschaften verlangen von der Regierung deine Aburteilung, und im Falle einer Ablehnung proklamieren sie den Generalstreik.

MISSISSIPPI *langsam* Ich kann dich nicht hindern.

SAINT-CLAUDE Du kannst mich nicht hindern, und ich kann dich nicht ändern! *Er öffnet das Fenster.* Lebewohl, ich versinke wieder vor dir. Wir waren zwei Brüder, die einander suchten in einer Nacht, die wohl allzu finster war. Wir haben nacheinander geschrien, aber wir haben uns nicht gefunden! Die Chance war einmalig, die Stunde schlecht. Wir brachten alles mit, du die Intelligenz, ich die Kraft, du den Schrecken, ich die Popularität, beide eine ideale Herkunft. Welch welthistorisches Paar wären wir geworden! *Er steigt in den Fensterrahmen.*

Draußen hört man die Internationale.

MISSISSIPPI Louis!

SAINT-CLAUDE Hörst du ihr Singen, ihr trunkenes Brüllen, du Freund meiner Jugend, du zitternder Schakal, mit dem ich durch die Kellergänge unserer ersten Zeit lief, verzweifelt über die Gleichgültigkeit aller Menschen, glühend nach ihrer Brüderlichkeit, hörst du das Lied? Hier allein singt man diese Strophen noch begeistert, hier allein glaubt man noch an sie, hier allein könnten wir den Kommunismus als Wirklichkeit durchführen und nicht als eine grausige Fiktion, hier allein, nur hier allein. Und was kam dazwischen? Gott, hervorgezogen aus einem Kehrichthaufen. Welche Komödie! Geh in ein Irrenhaus, Paule.

Saint-Claude verschwindet. Stille. Von links kommt Anastasia in einem weißen Nachtkleid.

ANASTASIA Sie sind noch auf?

MISSISSIPPI Es ist Mitternacht. Sie sollten schlafen, Madame. Bedenken Sie Ihre morgige Tätigkeit im Frauenzuchthaus Sankt Johannsen.

ANASTASIA *unsicher* War jemand hier?

MISSISSIPPI Ich war allein.
ANASTASIA Ich hörte sprechen.

Mississippi geht zum Fenster rechts und schließt es. Dann tritt er wieder ins Zimmer zurück.

MISSISSIPPI Ich sprach mit meiner Erinnerung.

Durch das Fenster links fliegt ein Stein. Draußen Schreie: Mörder, Massenmörder!

ANASTASIA Ein Pflasterstein!
MISSISSIPPI Fassen Sie sich. Bald wird noch mehr in Trümmer gehen.
ANASTASIA Florestan!
MISSISSIPPI Ich habe nur noch Sie, Madame, den Engel der Gefängnisse, einen Schild, den ich der ganzen Menschheit entgegenhalte.

Vorhang. Licht im Zuschauerraum. Übelohe tritt vor den Vorhang.

ÜBELOHE Wenn ich Sie, meine Damen und Herren, bitte, noch nicht in die Pause zu gehen, obgleich die Lichter angezündet worden sind, sondern sich noch meinen Auftritt anzusehen, so nur, weil er in dieser vielverschlungenen Handlung nicht unwichtig ist, ja, wie der Auftritt Saint-Claudes das Vorleben des Staatsanwalts aufdeckt, so wird der meine dasjenige Anastasias klären. Sie kennen mich, Sie haben mich schon zweimal durch die Lüfte schweben sehen, der Zypresse und dem Apfelbaum entlang. Ich bin Graf Bodo von Übe-

lohe-Zabernsee. Ich bin heruntergekommen, gewiß.
Betrunken, wie Sie sehen. Ich störe das ganze Stück,
auch dies sei zugegeben. Doch bin ich weder zu um-
gehen noch zu mildern. Mein Auftritt ist lächerlich,
mehr als lächerlich, unzeitgemäß, wie ich selbst, wie
mein groteskes Leben. Es ist geradezu peinlich, mich
auch noch auftauchen zu sehen, und helfen kann ich
natürlich nicht mehr. Sie werden es sehen. Doch ist
hier, an diesem so kritischen Punkt der Handlung, in
die Sie, meine Damen und Herren, als Zuschauer und
wir auf der Bühne durch einen heimtückischen Autor
hineingelistet worden sind – die Frage aufzuwerfen,
wie der Verfasser denn an diesem allem teilnahm, ob
er sich planlos von Einfall zu Einfall treiben ließ, oder
ob ein geheimer Plan ihn leitete. Oh, ich will es ihm
glauben, daß er mich nicht leichtfertig schuf, irgendeiner zufälligen Liebesstunde verfallen, sondern daß
es ihm darum ging, zu untersuchen, was sich beim
Zusammenprall bestimmter Ideen mit Menschen ereig-
net, die diese Ideen wirklich ernst nehmen und mit
kühner Energie, mit rasender Tollheit und mit einer
unerschöpflichen Gier nach Vollkommenheit zu verwirklichen trachten, ich will ihm das glauben. Und
auch dies, daß es dem neugierigen Autor auf die Frage
ankam, ob der Geist – in irgendeiner Form – imstande sei, eine Welt zu ändern, die nur existiert,
die keine Idee besitzt, ob die Welt als Stoff unverbes-
serlich sei; einem Verdacht nachzuspüren, der ihm in
einer verlorenen Nacht vielleicht einmal aufstieg: Auch
dies will ich glauben; doch daß er dann, wie er uns
geschaffen hatte, nicht mehr in unser Schicksal eingriff, das, meine Damen und Herren, bleibt bitter zu

beklagen. So schuf er denn auch mich, den Grafen
Bodo von Übelohe-Zabernsee, den einzigen, den er
mit ganzer Leidenschaft liebte, weil ich allein in diesem
Stück das Abenteuer der Liebe auf mich nehme, dieses
erhabene Unternehmen, das zu bestehen oder in dem
zu unterliegen die größte Würde des Menschen aus-
macht: Doch gerade darum wohl belastete er mich mit
dem Fluch eines wahrhaft lächerlichen Lebens und gab
mir nicht eine Beatrice oder eine Proeza – oder mit was
sonst so ein Katholik seine wackeren Helden beehrt –,
sondern eine Anastasia, weder dem Himmel noch der
Hölle, sondern allein der Welt nachgebildet. So ließ
der Liebhaber grausamer Fabeln und nichtsnutziger
Lustspiele, der mich schuf, dieser zähschreibende Pro-
testant und verlorene Phantast, mich zerbrechen, um
meinen Kern zu schmecken – o schreckliche Neu-
gierde –, so entwürdigte er mich, um mich nicht einem
Heiligen ähnlich – der ihm nichts nützt –, sondern ihm
selbst gleichzumachen, um mich nicht als Sieger,
sondern als Besiegten – die einzige Position, in die der
Mensch immer wieder kommt – in den Tiegel seiner
Komödie zu werfen: Dies allein nur, um zu sehen, ob
denn wirklich Gottes Gnade in dieser endlichen
Schöpfung unendlich sei, unsere einzige Hoffnung.
Doch lassen wir den Vorhang wieder in die Höhe. *Der
Vorhang geht in die Höhe. Eine große Tafel mit farbi-
gen Zeichnungen bedeckt die Mitte der Bühne. Unten
sind die Beine Anastasias und des Ministers sichtbar,
die sich offenbar umarmen. Übelohe fährt im Tone
eines Marktschreiers weiter.* Auf dieser Tafel, die, her-
untergelassen, die Mitte der Bühne deckt, sehen wir,
was sich am folgenden Tag und in der folgenden Nacht

ereignete: Eine Zeitspanne, die wir überspringen. Die Lage des Staatsanwalts ist, wie erwartet, ernst geworden: Links oben – von Ihnen aus gesehen – ein Straßenverkäufer, ein Extrablatt verteilend, das den Titel trägt: Der Staatsanwalt als Bordellportier. Rechts oben erbleicht der Ministerpräsident. In der Mitte Saint-Claude als Redner bei den Gewerkschaften. Links unten eine wütende Menschenmenge mit Inschriften an den Stangen. Sie lesen: Tod dem dreihundertfünfzigfachen Massenmörder. Rechts Subjekte der Polizei, die in einer nächtlichen Szene das Haus des Staatsanwalts beschützen, der Himmel mit Steinen besät, die gegen die Villa geworfen werden; sie machen sich wie Blumen auf einem roten Teppich aus. Sie sind nun im Bild. Wenn sich die Leinwand heben wird, sehen Sie das Zimmer, das wir schon kennen, im dementsprechenden Zustand. Die Fin-de-Siècle-Spiegel sind zerschlagen. Die Liebesgöttin verlor den Kopf. Irgendwo kommt schon die nackte Mauer zum Vorschein. Die Scheiben der Fenster in Scherben. Die Fensterläden geschlossen, durch die Ritzen fallen die schrägen Strahlen eines sonnigen Novembervormittags. Zehn Uhr. Ich begebe mich nach rechts in den Vorraum, wo ich eben das Dienstmädchen bestürme, mich vorzulassen. Ich trage bei diesem Anlaß eine blaue Brille. *Übelohe läßt die Brille fallen, wie er sie aufsetzen will; wie er sich nun bückt, sie aufzuheben, sieht er die Beine Anastasias und des Ministers. Er erhebt sich totenbleich.* Anastasia dagegen finden Sie in einer Situation, die für mich peinlich und für Sie überraschend ist: Es ist die Frau, die ich liebe, von einem Mann umklammert, den sie nie lieben dürfte, an der gleichen Stelle, wie wir sie vor dreiunddreißig Stunden erst verlassen haben.

Übelohe geht nach rechts hinaus, die Tafel schwebt nach oben, dahinter werden Anastasia und der sie küssende Minister fast bis zu den Köpfen sichtbar. Von links kommt Mississippi und zieht die Tafel wieder nach unten.

MISSISSIPPI Bevor diese schmierige Leinwand endgültig in die Höhe schwebt, um Ihnen das zu zeigen, was erlogen ist – die ganze Szene ist eine einzige unanständige Übertreibung – mein Scharfsinn hätte längst dies alles festgestellt, beruhte es auf Wahrheit – bevor daher dies alles geschieht, möchte ich Ihnen folgende Szene beschreiben. *Hinter der Tafel geht der Minister rückwärts nach rechts hinaus, man sieht nur seine Beine schreiten, dann erst hebt sich die Tafel. Anastasia steht unbeweglich am Tisch, eine Zeitung in der Hand.* Es war heute morgen früh. Ich hatte die ganze Nacht gearbeitet, es galt diesmal, das Todesurteil für einen Zuhälter zu beantragen – eine nicht ganz unknifflige Arbeit –, draußen die tobende Menge, im Wohnzimmer meine vor Furcht bebende Gattin. Ich trat ins Zimmer und finde den Engel der Gefängnisse. Er hält das Extrablatt in den Händen. Die Zeitung spricht die Wahrheit, sage ich zu meiner Frau. Sie sahen in mir den natürlichen Sohn eines amerikanischen Kanonenkönigs und einer italienischen Prinzessin. Madame, schlagen Sie sich diese Vorstellung aus dem Kopf, ich bin dies nicht, ich bin der Sohn einer Straßendirne, deren Namen ich ebensowenig kenne wie meinen Vater.

ANASTASIA Ich überlegte einen Augenblick, dann ging ich
auf ihn zu und kniete feierlich vor Mississippi nieder.

Sie kniet nieder.

MISSISSIPPI Ich sagte bewegt: Madame, Sie verachten mich
nicht?
ANASTASIA Darauf küßte ich seine Hand.

Sie küßt seine Hand.

MISSISSIPPI Und ich sagte leise: Madame, der Zweck unserer Ehe ist erreicht: Wir haben gebüßt. Vielleicht
schon heute abend bricht meine Anstrengung, das
Gesetz Mosis wiedereinzuführen, krachend zusammen. Sie hörten den Tumult diese Nacht. Die nichts-
würdigen Steine in diesem Zimmer, die zerbrochenen
Spiegel, die lädierte Liebesgöttin sprechen Bände. Ent-
setzliche Bände einer verlorenen Illusion. Was hindert
uns noch, unsere Giftmorde, die Sie aus Liebe began-
gen haben und ich aus sittlicher Einsicht, öffentlich zu
gestehen, um zusammen als Märtyrer unterzugehen?
Sie finden mich bereit, Madame!
ANASTASIA Ich erhob mich feierlich und küßte seine
Stirne.

*Sie tut es. Die Tafel senkt sich wieder nieder. Man sieht
wieder die Beine des Ministers, der sich von rechts aufs
neue zu Anastasia begibt.*

MISSISSIPPI Dies ist die Szene. Sie erschütterte mich und
wird auch Sie erschüttert haben. Ich erzähle sie,

obgleich mich eben jetzt im Geschworenengericht eine
tobende Menge belagert, und wenn die Menschen
mich bald durchs ganze Gebäude hetzen werden, die
Treppen hinauf, durch die Galerien, die Treppen wieder hinunter, um mich im Foyer unter dem Standbild
der Gerechtigkeit zu verprügeln, bis ich blutüber-
strömt liegen bleibe – all dies wird in wenigen Stunden
geschehen: Dann werde ich nichts spüren als die Lip-
pen dieser so außergewöhnlichen Frau: ein Lorbeer,
der unverwelkt an meiner geschändeten Stirne blüht.

*Mississippi nach links ab. Anastasia und der Minister
werden sichtbar, in großer Umarmung, wir wissen es
schon. Das Zimmer entspricht der Beschreibung Übelohes. Draußen die Internationale.*

ANASTASIA Die ganze Nacht haben sie das Haus mit
Steinen beworfen und ihre Lieder gesungen.
DER MINISTER Es war tollkühn, mich anzurufen.
ANASTASIA Ich war besinnungslos vor Entsetzen.
DER MINISTER Es ist schön, zu küssen, wenn die Welt aus
den Fugen geht.
ANASTASIA Du wirst mich von diesem Menschen be-
freien. Ich will dich immer wieder küssen.
DER MINISTER Du sollst mich immer wieder küssen.
Einem Bordellportier hilft man nicht.
ANASTASIA Der Generalstreik wird auch dich treffen.

*Der Minister in Zylinder und Mantel beginnt sich nun
auszuziehen. Den Zylinder stülpt er der Liebesgöttin über
den Kopf, den Mantel wirft er über den Stuhl, usw.*

DER MINISTER Meine Macht ist nicht zu treffen. Sie gründet sich nicht auf die Leidenschaft der Menschen, sie gründet sich auf ihre Müdigkeit. Die Sehnsucht nach Veränderung ist groß, doch die Sehnsucht nach Ordnung ist stets noch größer. Sie wird mich an die Macht bringen. Der Mechanismus ist leicht einzusehen. Der Ministerpräsident muß gehen, der Außenminister wird erst in einer Stunde aus Washington eintreffen. Er wird zu spät kommen. Ich brauche nur die wenigen Minuten auszunützen, in denen ich der einzige Vertreter der Regierung sein werde, und das Parlament wird mich zum neuen Ministerpräsidenten ausrufen.

ANASTASIA Du wirst meinen Mann der Menge ausliefern?

DER MINISTER Du willst, daß er stirbt?

ANASTASIA Ich wünsche seinen Tod.

DER MINISTER Du bist ein Tier, aber ich liebe Tiere. Du hast keinen Plan, du lebst nur im Augenblick, wie du deinen Mann verraten hast, verrätst du mich und so fort. Immer wird für dich das, was ist, stärker sein, als das, was war, und was sein wird, wird immer das Heutige besiegen. Niemand kann dich fassen; wer auf dich baut, wird untergehen, und nur wer dich liebt, wie ich dich liebe, wird dich immer besitzen. Nein, mein Kind! Ich werde deinen Mann nicht der Straße ausliefern. Ich werde ihn gründlicher treffen als dein Haß, ich werde ihn dorthin schaffen, wohin man Narren schafft.

ANASTASIA *die ihre Absicht nicht erreicht hat* Ich bitte dich zu gehen. Du mußt nun ins Parlament.

DER MINISTER Es ist unerträglich, dich nur in Zuchthäusern zu treffen, wo uns überall Gefangene und Wärter beobachten. Hier sind wir wenigstens einmal allein!

Von rechts stürmt Übelohe herein.

ÜBELOHE *mit Donnerstimme* Verschaffen Sie mir den Anblick meiner Geliebten, gnädige Frau!

Anastasia ist wie vom Donner gerührt, und in der Tiefe erscheint fassungslos das Dienstmädchen.

DER MINISTER *der Anastasia entsetzt fahrenließ* Man darf mich hier unter keinen Umständen sehen!

Er eilt ins Zimmer links.

ÜBELOHE *geht zu Anastasia und küßt ihre Hand* Ich bitte Sie, mein tollkühnes und unschickliches Eindringen in Ihre Privaträume zu entschuldigen sowie meinen lädierten Anzug, aber es geht um die einzige Hoffnung eines jetzt vollkommen zerrütteten, aber einst adligen Menschen, um die letzte Gnade, die Sie einer armen Seele erweisen können. Mein Name –
ANASTASIA *schreit auf* Bodo!
ÜBELOHE *steht einen Augenblick unbeweglich, dann schreit auch er markerschütternd auf* Anastasia! *Er taumelt und sinkt kreideweiß auf den Stuhl rechts.* Etwas schwarzen Kaffee, bitte.
ANASTASIA *zum Dienstmädchen* Mach sofort Kaffee.
DAS DIENSTMÄDCHEN *nach rechts hinaus* Mein Gott, der Herr Graf!
ÜBELOHE *totenbleich* Verzeih, Anastasia, daß ich dich nicht gleich erkannt habe, aber ich bin in den Tropen eminent kurzsichtig geworden.
ANASTASIA Das tut mir leid.

ÜBELOHE O bitte. *Er steht auf.* Du bist frei?

ANASTASIA Ich bin frei.

ÜBELOHE Begnadigt?

ANASTASIA Ich war nicht im Gefängnis.

ÜBELOHE Ich habe dir doch vor fünf Jahren ein Gift in Zuckerform für deinen Pekineser Hund gegeben, der so gern Süßigkeiten aß, und du hast damit deinen Gatten vergiftet.

ANASTASIA Ich wurde nicht verhaftet.

ÜBELOHE *entgeistert in ihr Gesicht starrend* Ich habe deinetwegen den Kontinent verlassen und im tiefsten Dschungel Borneos ein Urwaldspital gegründet!

ANASTASIA Deine Flucht war sinnlos.

ÜBELOHE Mein Arztdiplom ist mir nicht entzogen worden?

ANASTASIA Gegen dich wurden keine Maßnahmen ergriffen.

ÜBELOHE *tonlos* Wenn jetzt nicht bald der Kaffee kommt, verliere ich noch den Verstand.

ANASTASIA *mißtrauisch* Du wolltest zum Staatsanwalt?

ÜBELOHE Ich bin auf einem alten Kohlendampfer aus den Fiebergluten der Tropen in diese Stadt gekommen. Ich glaubte, daß du zu lebenslänglichem Zuchthaus verurteilt worden seiest. Ich wollte mich mit der Bedingung stellen, dich noch einmal in meinem Leben zu sehen. Ich ging in diese Wohnung, um hier die Erlaubnis zu erhalten, dich im Zuchthaus besuchen zu dürfen.

Er starrt Anastasia an, die sich aber, wie er näher hinschaut, als die lädierte Liebesgöttin herausstellt. Zum Glück hat Anastasia den Zylinder des Ministers vorher schon fortgenommen.

ANASTASIA *ängstlich* Bodo!

ÜBELOHE Schon Mississippis Adresse ist mir unheimlich
bekannt vorgekommen, der Garten, das Haus, der
Eingang, das Bild von Picasso in der Vorhalle, aber
meine hochgradige Kurzsichtigkeit, die Halluzinatio-
nen, die ich seit dem Gelbfieber in Batavia habe, ließen
die Möglichkeit einer Täuschung offen. Ich weiß ja,
daß ich meinen Sinnen nicht mehr ganz trauen darf. Ich
habe sämtliche Tropenkrankheiten durchmachen müssen. Durch die Cholera ist mein Gedächtnis und durch
die Malaria mein Orientierungssinn getrübt. Dann ist
das Dienstmädchen gekommen. Es war Lukrezia. Ich
konnte kaum mehr zweifeln, aber in fünf Jahren kann
sich natürlich vieles ändern. Es mußte wohl eine neue
Stelle suchen. Auch erkannte es mich nicht, das macht
wahrscheinlich meine blaue Brille, die ich seit meiner
Augeninfektion in Südborneo trage. Zweimal wurde ich
abgewiesen. Da handelte ich. Ich betrat dieses Zimmer,
grüßte, verneigte mich, schritt näher, küßte eine Hand
– und stand vor dir.

ANASTASIA Ja, du standest vor mir.

Er sieht sie ratlos an.

ÜBELOHE Anastasia, die Tropen haben mich furchtbar
zugerichtet. Ich bin gesundheitlich nicht mehr auf der
Höhe. Ich weiß, daß ich mich täuschen kann, furchtbar täuschen. Darum sage mir offen und ehrlich, ohne
mich zu schonen: Ist das alles ein entsetzlicher Irrtum
meines kranken Gehirns? Oder bist du Herrn Staatsanwalt Florestan Mississippis Frau?

ANASTASIA *ruhig* Ja, ich bin seine Frau.

ÜBELOHE *schreit auf* Also doch! *Er schwankt.*
ANASTASIA *entsetzt* Bodo!

Sie umfängt ihn, und er gleitet ohnmächtig an ihr auf den Boden hinunter. Anastasia läutet wie wahnsinnig mit der kleinen silbernen Glocke. Von rechts kommt das Dienstmädchen hereingestürzt.

ANASTASIA Bring doch endlich einmal den Kaffee, mein Gast fällt ja immer in Ohnmacht!
DAS DIENSTMÄDCHEN Joseph und Maria!

Sie stürzt wieder hinaus. Von links kommt der Minister.

DER MINISTER Ich habe keine Minute mehr zu verlieren. Ich muß unbedingt ins Regierungsgebäude!
ANASTASIA Mein Gast kann jeden Moment wieder zu sich kommen!
DER MINISTER Es gibt eine Katastrophe! Ich weiß, es gibt eine Katastrophe. Wenn der Außenminister vor mir seine Rede hält, wird er Ministerpräsident.
ÜBELOHE *öffnet langsam die Augen* Verzeih, Anastasia, ich bin diesen unaufhörlichen Aufregungen einfach körperlich nicht mehr gewachsen.

Der Minister stürzt wieder nach links hinaus, Anastasia wirft ihm den Mantel und das Halstuch nach.

ÜBELOHE Wenn ich nur einen Bruchteil von dem verstehen würde, was hier vorgeht, wäre es mir gleich besser. Ich verstehe einfach deine Ehe mit Mississippi nicht.

*Er richtet sich langsam auf und setzt sich auf den Stuhl,
trocknet sich den Schweiß ab.*
Von rechts kommt das Dienstmädchen.

DAS DIENSTMÄDCHEN Der Kaffee!

*Es stellt den Kaffee auf den Tisch und geht wieder hinaus.
Übelohe erhebt sich mühsam. Links steckt der Minister
den Kopf durch die Türe, schnellt jedoch wieder zurück,
wie er Übelohe sieht, Anastasia schenkt ein.*

ÜBELOHE *nimmt die Tasse, rührt darin, bleibt stehen* Ein
   Staatsanwalt kann doch unmöglich eine Frau heiraten,
   von der er weiß, daß sie ihren Gatten vergiftete.
ANASTASIA Er heiratete mich, weil auch er seine Frau
   vergiftet hat.
ÜBELOHE *steht wie erstarrt, die Kaffeetasse in der Hand*
   Auch er?
ANASTASIA Auch er. Mit dem Gift, das er bei dir konfis-
   ziert hatte.
ÜBELOHE Wie du im schwarzen Kaffee?
ANASTASIA Wie ich im schwarzen Kaffee. Um das Gesetz
   Mosis wiedereinzuführen.
ÜBELOHE Um das Gesetz Mosis wiedereinzuführen.
ANASTASIA Unsere Ehe soll die Sühne unserer Verbrechen
   sein.
ÜBELOHE Die Sühne eurer Verbrechen.

Er wankt.

ANASTASIA *heftig* Falle um Gottes willen nicht wieder in
   Ohnmacht.

ÜBELOHE Nein. Ich falle nicht in Ohnmacht. Die Wahrheit hat mich mit einem Schlag zu Stein verwandelt.

Er stellt langsam die Tasse auf den Tisch.

ANASTASIA *ängstlich* Bodo, ist dir nicht wohl?
ÜBELOHE Gib mir bitte etwas Kognak.
ANASTASIA Kaffee würde dir viel besser tun.
ÜBELOHE Du kannst doch unmöglich von mir verlangen, daß ich in diesem Hause noch Kaffee trinke.

Er setzt sich wieder. Anastasia geht schweigend zur Kommode und kommt mit einer Flasche Kognak und einem Glas zurück. Schenkt ein. Setzt sich auf den Stuhl links.

ÜBELOHE Ich habe dir das Gift im reinsten Glauben gegeben, du wolltest damit deinen Hund töten, ich bin in höchster Verzweiflung in die Tropen geflüchtet, um in tätiger Menschenliebe unter Kopfjägern und Malaien deine Schuld zu sühnen, ich verzichtete auf dich, die ich seit Anbeginn liebe, um unsere Beziehung durch ein Opfer aufs neue zu heiligen, und unterdessen heiratest du einen Mann, dessen Verbrechen unendlich viel schwerer ist als das meine, und lebst mit ihm in der gemäßigten Zone unter besten sozialen Umständen, vom Gesetz unangefochten, weiter!

Von links rast der Minister über die Bühne und verschwindet rechts.

DER MINISTER Ich muß ins Parlament, sonst werde ich nicht Ministerpräsident!

ÜBELOHE *erstaunt* Wer war denn das?

ANASTASIA Nur der Justizminister.

ÜBELOHE *verzweifelt* Was hat ein Justizminister bei dir zu suchen?

ANASTASIA Auch mein Leben ist eine Hölle.

ÜBELOHE Ist dein ganzes Lebenswerk durch eine Frau vernichtet worden? Hast du sinnlos eine große Position aufgegeben, um in das elende Innere Borneos zu flüchten, und bist du ebenso sinnlos wieder zurückgekehrt? Hast du die Cholera gehabt, den Sonnenstich, die Malaria, den Flecktyphus, die Ruhr, das Gelbfieber, die Schlafkrankheit und die chronischen Leberstörungen?

ANASTASIA Warst du gezwungen, jeden Freitag die Hinrichtungen zu besuchen? War es deine Pflicht, täglich im Gefängnis Menschen zu sehen, die dein eigener Gatte verurteilt und die dich mit den ungeheuerlichsten Flüchen überhäufen? Mußtest du Stunde um Stunde mit einem ungeliebten Gatten zusammensein, der dich zum Tode verurteilte, ohne dich zu töten? Hattest du die kompliziertesten Vorschriften und die absurdesten Regeln innezuhalten, bloß weil sie im Gesetz Mosis stehen? Siehst du denn nicht, daß wir beide Grauenvolles durchgemacht haben, du körperlich und ich seelisch? Du konntest fliehen, und ich mußte hier moralisch durchhalten.

Von rechts erscheinen drei feierliche Geistliche, ein protestantischer, ein katholischer und ein israelitischer. Sie verneigen sich. Anastasia steht würdevoll auf. Übelohe, tief verwundert, ebenfalls.

DER ERSTE Als Vertreter des Synodalrats –

DER ZWEITE der Diözese –

DER DRITTE und der Kultusgemeinde unserer Stadt –

DER ERSTE sind wir gekommen, Ihnen, verehrte –

DER ZWEITE liebe –

DER DRITTE gnädige –

DER ERSTE Frau, in dieser schweren Stunde zu danken.

DER ZWEITE UND DER DRITTE Zu danken!

DER ERSTE Zu danken, für die –

ALLE DREI ungewöhnliche –

DER ERSTE Hilfe, die Sie, verehrte –

DER ZWEITE liebe –

DER DRITTE gnädige –

DER ERSTE Frau, je und je den Gefangenen haben angedei-
hen lassen. Sie haben diese schwesterliche Tat voll-
bracht für und für. In dieser kritischen Stunde jedoch
möge es für Sie ein –

DER ZWEITE UND DER DRITTE Trost –

DER ERSTE und eine Stärkung, ja eine –

ALLE DREI Labe –

DER ERSTE sein, daß wir nicht nur danken, sondern auch
hoffen.

DER ZWEITE UND DER DRITTE Hoffen!

DER ERSTE Hoffen, daß Sie, verehrte –

DER ZWEITE liebe –

DER DRITTE gnädige –

DER ERSTE Frau, der Gefangenenfürsorge unserer Stadt
erhalten bleiben je und je. Ihnen zu danken, für Sie zu
hoffen und an Sie zu glauben,

DER ZWEITE UND DER DRITTE zu glauben!

DER ERSTE das sei nun unsere Aufgabe für und für.

Sie verneigen sich. Anastasia neigt ein wenig den Kopf.
Übelohe verneigt sich hilflos und verwirrt.

DIE DREI
> Zwar verneinen wir entschieden,
> was Ihr Mann ins Werk gesetzt.
> Ungestraft sei nie hienieden,
> wer, was schicklich ist, verletzt.
> Jedoch ihr, die edel sorgte,
> Hilfe brachte, Bruder dir,
> gelten unsre Trostesworte
> je und je und für und für.

Die drei gehen wieder nach rechts hinaus. Anastasia setzt
sich.

ÜBELOHE *faßt sich an den Kopf* Das war doch Landesbi-
schof Jensen!
ANASTASIA Man nennt mich den Engel der Gefängnisse.
ÜBELOHE *verzweifelt, indem er in den Stuhl sinkt* Und
mich haben sie aus dem Kirchgemeinderat hinausge-
worfen!
ANASTASIA *leidenschaftlich* Begreifst du denn nicht, daß du
der einzige Mensch bist, der mich noch retten kann?
ÜBELOHE *verwundert* Bist du denn in Gefahr?
ANASTASIA Mein Mann will sich mit mir der Polizei stel-
len, wenn er nicht mehr Staatsanwalt ist, und unsere
Giftmorde gestehen.
ÜBELOHE *bestürzt* Anastasia!
ANASTASIA Noch diese Nacht.
ÜBELOHE *bleich* Was willst du tun?
ANASTASIA *bestimmt* Ich will nicht in diese Dämmerwelt

der Verliese gestoßen werden, ich will nicht! Es gibt nur einen Weg, unsere Liebe zu retten, Bodo. Flieh mit mir nach Chile! Es ist das einzige Land, das eine Mörderin nicht ausliefert. Wozu hast du deine Millionen? Wir nehmen das Flugzeug. Es steigt diese Nacht um zehn auf, ich habe mich erkundigt. Fünf Jahre habe ich auf dich gewartet, und nun bist du da. Wir werden in Chile glücklich sein.

ÜBELOHE *erhebt sich langsam wieder* Wir können nicht fliehen, Anastasia. Ich habe mein ganzes Vermögen verloren.

ANASTASIA *erhebt sich ebenfalls totenbleich* Bodo!

ÜBELOHE Die Tropen haben mich auch finanziell vollkommen ruiniert.

ANASTASIA *schaudernd* Burg Übelohe-Zabernsee?

ÜBELOHE An pharmazeutische Fabriken übergegangen.

ANASTASIA Marienzorn ob Bunzendorf?

ÜBELOHE Versteigert.

ANASTASIA Schloß Mont Parnasse am Genfer See?

ÜBELOHE Beschlagnahmt.

ANASTASIA Dein Urwaldspital in Borneo?

ÜBELOHE Vermodert. Die einheimische Medizin erwies sich als stärker. Ich wollte der Menschheit mit meinen sozialen Liebeswerken helfen und bin dabei zum Bettler geworden. Die zerrissenen Kleider, die ich trage, diese zum Himmel schreiende Jacke, dieser Pullover, den mir in Batavia eine Missionarin strickte, die ausgefransten Hosen und diese ausgetretenen Schuhe sind mein ganzes Eigentum.

ANASTASIA Aber dir gehört doch noch die Armenklinik Sankt Georg! Wir brauchen nicht viel, Bodo. Du bist Arzt, und ich werde Klavierstunden geben.

ÜBELOHE Ich habe die Klinik vor meiner Abreise dem
  Trinkerhilfsverein geschenkt.

ANASTASIA *sinkt vernichtet auf den Stuhl zurück* Und
  mein Mann zwang mich, mein ganzes Vermögen dem
  Verein für gefallene Mädchen zu vermachen.

ÜBELOHE *schaudernd* Wir sind beide endgültig ruiniert!

Er sinkt ebenfalls auf den Stuhl zurück.

ANASTASIA Wir sind verloren.

ÜBELOHE *schüchtern* Wir sind nicht verloren, Anastasia.
  Wir müssen jetzt nur die Wahrheit sagen.

ANASTASIA *stutzt* Wie meinst du das?

ÜBELOHE Hast du deinem Mann gestanden?

ANASTASIA *mißtrauisch* Gestanden?

ÜBELOHE Daß du meine Geliebte bist?

ANASTASIA *langsam* Du willst ihm das sagen?

ÜBELOHE *bestimmt* Ich muß ihm das sagen. Ich habe es
  mit der Wahrhaftigkeit immer ganz besonders exakt
  genommen.

ANASTASIA *entschieden* Das ist unmöglich.

ÜBELOHE *unerbittlich* Du hast dich in der Nacht, bevor
  François starb, mir hingegeben.

ANASTASIA Du willst jetzt nach fünf Jahren mit deiner
  Grundanständigkeit vor meinen Mann treten, um ihm
  zu erklären, daß du von mir verführt worden bist?

ÜBELOHE Es gibt keinen andern Weg.

ANASTASIA Das ist doch lächerlich.

ÜBELOHE Alles, was ich unternehme, ist lächerlich. In
  meiner Jugend habe ich Bücher über die großen Christen gelesen. Ich wollte wie sie werden. Ich kämpfte
  gegen die Armut, ich ging zu den Heiden, ich wurde

zehnmal kränker denn die Heiligen, aber was ich auch
tat und was mir auch Schreckliches begegnete: immer
schlug es ins Lächerliche um. Auch meine Liebe zu dir
ist lächerlich geworden, das einzige, das mir noch
geblieben ist. Aber es ist unsere Liebe. Wir müssen
ihre Lächerlichkeit ertragen.

ANASTASIA Immer ist es dein Anstand, der uns in das
himmelschreiendste Unglück stürzt. Schon in Lausanne. Da hast du mich nicht geheiratet, weil du zuerst
das Examen machen wolltest, so daß mich ein Oberst-
divisionär in seine Bande ziehen konnte. Ich verführte
dich, auch so wolltest du nicht handeln. Ich tötete
François, um endlich einmal deine Frau zu werden, da
bist du nach Tampang geflüchtet. Und jetzt willst du
ausgerechnet jenem Manne unsere Liebe gestehen, der
seine erste Frau vergiftete, ihren Ehebruch zu bestrafen. Fünf Jahre verstellte ich mich in der klaren
Erkenntnis, daß er mich töten würde, wenn er die
Wahrheit wüßte. Ich verwandelte mich in den Engel
der Gefängnisse. Ich wurde eine Frau, von der jeder
Geistliche mit Hochachtung spricht. Und nun kommst
du und willst meinem Mann die Augen öffnen, und
dies noch in einem Augenblick, der schon kritisch
genug ist. Es ist Wahnsinn, ihm die Wahrheit zu sagen.

ÜBELOHE Die Wahrheit ist immer ein Wahnsinn. Die
Wahrheit muß man schreien, Anastasia. Ich werde sie
in dieses Zimmer schreien, hinein in diese zusammen-
sinkende Welt unserer Sünden. Willst du denn lügen,
immer wieder lügen? Unsere Liebe kann nur durch ein
Wunder gerettet werden. Wir müssen die Wahrheit
sagen, wenn wir an dieses Wunder glauben wollen.

ANASTASIA *verwundert* Du glaubst an ein Wunder?

ÜBELOHE Unsere Liebe kette ich daran.

ANASTASIA Das ist doch Unsinn!

ÜBELOHE Der einzige Sinn, der uns noch geblieben ist.
Er zündet sich eine Zigarette an. Ich werde deinem
Mann die Wahrheit sagen. Sie wird unsere Erbärmlich-
keit zu Asche brennen, und unsere Liebe wird aufer-
stehen, ein weißer Rauch. *Er zertritt die Zigarette.*
Wann kommt dein Mann zurück?

ANASTASIA Ich weiß es nicht.

ÜBELOHE Ich werde warten. Warten zwischen diesen
Möbeln und Bildern. Warten, bis er kommt.

Anastasia schweigt.

ÜBELOHE *totenbleich* Anastasia!

ANASTASIA Was willst du?

ÜBELOHE Liebst du mich?

ANASTASIA Ich liebe dich.

ÜBELOHE Dann komm zu mir und küsse mich.

Anastasia geht langsam auf ihn zu. Sie küßt ihn.

ÜBELOHE Jetzt weiß ich, daß du mich immer lieben wirst.
Ich glaube an unsere Liebe, wie ich an das Wunder
glaube, das uns retten wird.

ANASTASIA *leidenschaftlich* Laß uns fliehen! Besinnungslos! Ohne zu denken! Und nie mehr zurückkehren!

ÜBELOHE Nein. Ich warte. Ich warte auf das Wunder!

Zweiter Teil

Das gleiche Zimmer. Am Kaffeetisch, auf dem sich Kognakflaschen häufen, Übelohe. Im Hintergrund am Fenster links Anastasia.

ANASTASIA Der Nebel kommt wieder.

ÜBELOHE Und der Pöbel.

ANASTASIA Jeden Abend stieg der Nebel vom Fluß herauf diesen November.

ÜBELOHE Ein Biedermeier-Tisch, zwei Louis-Quatorze-Stühle, ein Louis-Quinze-Buffet. Eine Kommode Louis-Seize, ein Empire-Sofa. Ich hasse diese Möbel. Schon in Lausanne habe ich sie gehaßt. Ich hasse überhaupt Möbel.

ANASTASIA *ohne daß etwas zu hören wäre* Die Kathedrale schlägt acht Uhr.

ÜBELOHE Zehn Stunden. Zehn Stunden habe ich gewartet.

ANASTASIA Schüsse. Immer wieder Schüsse.

ÜBELOHE Und immer diese Gesänge. Gesänge, die man singt, wenn die Welt untergeht.

ANASTASIA Jetzt ist in Chile hoher Sommer, und in der Nacht sieht man das Kreuz am Himmel.

ÜBELOHE Die Wahrheit ist das Kreuz. Ich sage deinem Mann die Wahrheit. Ich schreie sie ihm entgegen.

ANASTASIA Einem Bordellportier.

ÜBELOHE Der anständigste Mensch in Tampang war auch

der Bordellportier. Er spendete immer etwas für mein Urwaldspital, immer. *Er setzt sich wieder an den Tisch.* Ein Biedermeier-Tisch. Zwei Louis-Quatorze-Stühle, ein Louis-Quinze-Buffet. Eine Kommode Louis-Seize. Ein Empire-Sofa. Ich hasse diese Möbel. Schon in Lausanne habe ich sie gehaßt. Ich hasse überhaupt Möbel.

ANASTASIA Glaubst du, daß das Flugzeug bei diesem Nebel aufsteigt?

ÜBELOHE Sie fliegen heute bei jedem Wetter. Und wenn sie zum Teufel gehen. Die Wahrheit. Ich werde ihm die Wahrheit sagen.

ANASTASIA Du hast mehr als fünf Flaschen Kognak getrunken.

ÜBELOHE *plötzlich wild* Kann man denn sonst die Hölle ertragen elf Stunden lang? Rembrandt Harmensz van Rijn, sechzehnhundertsechs bis sechzehnhundertneunundsechzig, Landschaft mit Turm, Radierung.

Die beiden erstarren. Im Fenster links erscheint der Minister.

DER MINISTER Und während diese zwei, Mann und Frau, in ihrem Zimmer warten, bin ich soeben Ministerpräsident geworden. Die Lage scheint katastrophal, das Ausland hält den Atem an, die Aktien fallen rapid, die Gerüchte sind wild, aber in Wahrheit ist die Situation ideal, die Macht zu übernehmen.

Händeklatschen einer unsichtbaren Menge.

DER MINISTER Auf dem Sofa meines neuen Arbeitszimmers liegend – der alte Ministerpräsident liegt bereits im Sanatorium –, zerreiße ich die Photographie eines eingeschmuggelten Agenten und werfe die Fetzen ins Feuer. *Er zerreißt eine Photographie und wirft die Fetzen ins Feuer.* Ein Narr, nichts weiter. Als ob eine Revolution gegen einen Einzelnen zu fürchten wäre. Den Einzelnen opfert man, und die Bagage, die sich Gesellschaft nennt, bleibt erhalten. Eine bewährte Regel, das Biest ist nicht umzubringen, setzen wir auf das Biest, und wir werden ewig oben sitzen. *Händeklatschen.* Der Pöbel liebt den Blutrausch des Beginns, das Unmaß an Hoffnung, das Abenteuer der Kopflosigkeit, doch von einem bestimmten Augenblick des Aufruhrs an dreht sich der Masse Gunst. Erhitzte sie die Gier nach mehr, so kühlt sie nun die Furcht ab, alles zu verlieren: In diesem genau zu berechnenden Punkt als Retter der Ordnung aufzutreten, welche Chance. *Händeklatschen.* Profitieren wir davon. Die Armee ist bereit. Gut. Die Polizei mit Wendrohren versehen. Noch besser. Ich schwöre auf kaltes Wasser. – Johann, einen Whisky. *Ein Diener bringt ein Glas.* Noch bleibe ich im Hintergrund. Noch lasse ich einen Narren einen andern hetzen, noch die Menge mit erhobenen Fäusten hinter unserem unglücklichen Staatsanwalt herstürzen, der sich eben jetzt, verdreckt und blutend, über die Mauer in seinen Garten hinunterläßt, um unter einem Baum – ich glaube, es ist der Apfelbaum – liegenzubleiben. Ungeschickt, wenn man dich findet. Lauf, mein lieber Hase, lauf. Jetzt erhebt er sich und hinkt über die Terrasse. Welch Genie geht da zum Teufel.

Er trinkt das Glas aus, wirft es hinter sich und verschwindet. Ein Schuß ganz in der Nähe.

ÜBELOHE Herkules Seghers, fünfzehnhundertneunund-
achtzig bis sechzehnhundertfünfundvierzig, alte
Mühle, Radierung. *Schwankend* Ich werde ihm die
Wahrheit sagen. – Liebst du mich? – Ein Wunder wird
geschehen. Ich werde ihm die Wahrheit sagen, und wir
werden frei sein.

Die Türe rechts öffnet sich.

ANASTASIA *ruhig* Mein Mann.

In der Türe zerfetzt und blutend Mississippi.

MISSISSIPPI Ich heiße Sie in Ihrer Heimat willkommen,
Herr Graf.
ANASTASIA Florestan!

*Sie will zu ihm stürzen, Mississippi winkt ihr, Ruhe zu
bewahren.*

MISSISSIPPI Vergessen wir unseren Gast nicht, liebe
Anastasia. Eine unerschütterliche Haltung ist das einzige, das wir in dieser sich ständig ändernden Welt zu
bewahren vermögen. *Er verneigt sich.* Graf Übelohe,
Sie sind gekommen, sich zu stellen? Da meine Frau
und ich das gleiche beschlossen haben, steht dem
nichts mehr im Wege.

Übelohe sammelt sich.

ÜBELOHE Herr Staatsanwalt! Sie haben die Frau, der ich
das Gift gab, geheiratet, nun gut, ein Schlag für mich,

ein grausamer Schlag, sicher, aber Sie wollen das Gesetz Mosis wiedereinführen. Ich neige mich vor einer so gigantischen Leidenschaft für die Gerechtigkeit. Es ist ein erhabener Gedanke. Ich neige mich in Ehrfurcht. Auch Sie, Herr Staatsanwalt, wie ich an der fürchterlichen Unordnung Ihrer Kleider und an Ihrem blaugeschlagenen, zerkratzten Antlitz nicht ohne Schauder feststelle, sind ruiniert. Es ist unser beider Los, mein Herr, in diesem Jahrhundert ruiniert zu sein. Ruiniert bis auf die Knochen. Wir haben nichts mehr zu bestimmen, die Geschichte hat uns widerlegt, Sie, der sich unermüdlich, mit eiserner Energie aus dem Sumpf der Großstadt emporgearbeitet hat, und mich, den Grafen, den alten Patrizier, dessen Vorfahren in den Kreuzzügen mitgefochten haben. Die Straße singt jetzt Ihr Schicksal, auch meines wird sie mit Hohngelächter quittieren. Wir haben nur noch das eine zu tun in dieser untergehenden Welt – wer zweifelt noch daran, daß sie untergeht –, das eine, und dies absolut, fanatisch, tollkühn. *Er schwankt immer mehr.* Wir müssen zur Wahrheit, Herr Staatsanwalt, zur schrecklichen, vielleicht auch lächerlichen Wahrheit, wir müssen mit ganzem Mut und mit aller Kraft zur Wahrheit stehen. *Er fällt in den Stuhl links und birgt den Kopf in den Händen.*

Mississippi geht ruhig zum Tisch und klingelt mit der Glocke. Von rechts kommt das Dienstmädchen.

MISSISSIPPI Holen Sie ein Becken mit kaltem Wasser, Lukrezia.

Das Dienstmädchen hinaus.

ANASTASIA *kalt* Er ist betrunken.
MISSISSIPPI Er wird wieder nüchtern werden und seine
Rede zu Ende halten.
ANASTASIA Fünf Flaschen Kognak seit heute morgen.

Das Dienstmädchen bringt das Becken.

MISSISSIPPI Reichen Sie das Becken dem Grafen, Lukrezia.
DAS DIENSTMÄDCHEN Herr Graf, das Becken.
MISSISSIPPI Tauchen Sie Ihr Gesicht hinein, Graf Übelohe.

Übelohe gehorcht.

MISSISSIPPI *zum Dienstmädchen* Sie können gehen, Lukrezia.

Das Dienstmädchen verschwindet nach rechts.

ÜBELOHE *langsam* Entschuldigen Sie mich, aber durch
das lange Warten bin ich endgültig heruntergeko-
kommen.
MISSISSIPPI Fahren Sie fort, was haben Sie mir zu sagen?
ÜBELOHE *steht auf* Herr Staatsanwalt! Ich habe Ihnen die
Wahrheit zu sagen. In meinem Namen und im Namen
Ihrer Frau. Die Wahrheit ist, daß Ihre Frau und ich – es
ist die Wahrheit, daß wir uns – daß ich Ihre Frau liebe.

*Eine ungeheure Salve bricht in das Zimmer. Maschinen-
gewehrfeuer wütet von außen her durch die zersplittern-
den Läden herein.*

MISSISSIPPI An die Wände!

ÜBELOHE Die Kommunisten.

Neue Salve. Alle drei pressen sich an die Wände. Missis-
sippi rechts, Anastasia und Übelohe links. Neue Salve. Im
Fenster links Saint-Claude.

DER MINISTER *im Fenster rechts* Und schon kleben sie an
den Wänden, hingepreßt in ihre kitschigen Tapeten.

SAINT-CLAUDE *im Fenster links* Ich zersplittere diese
Louis-Seize-, -Quinze-, -Quatorze-Möbel, den Em-
pire-Leuchter.

DER MINISTER Die Rokokospiegel.

SAINT-CLAUDE Die Stiche.

DER MINISTER Die Vasen.

SAINT-CLAUDE Stukkaturen.

DER MINISTER Die Überreste einer Venus aus Gips.

SAINT-CLAUDE Samt dem Buffet, auf dem sie steht. Ich
vernichte all diesen Krimskrams, ein Köhler, der diese
lächerliche Welt zu Kohle brennt. *Er verschwindet.*

DER MINISTER Mein kommendes Reich zu erwärmen.

Er verschwindet. Neue Salve.

MISSISSIPPI *schneidend* Madame, gehen Sie in Ihr Zimmer.
Sie befinden sich dort in Sicherheit.

Anastasia verschwindet durch die Türe links.

MISSISSIPPI *schreiend durch die Salven hindurch* Treffen
wir uns in der Mitte des Zimmers. Ich muß jedoch den

Herrn Grafen leider bitten, in Anbetracht des Feuers
zu kriechen.

ÜBELOHE Ich krieche schon, Herr Staatsanwalt.

Sie kriechen gegen die Mitte.
Salve. Sie ducken sich.
Mississippi umklammert Übelohe unter dem Tisch.

MISSISSIPPI Da liegen wir nun, Graf, an den Boden eines
verfluchten Zimmers geheftet, bedeckt mit Gips, blut-
verschmiert beide. Hoho, Herr Graf, was wollen Sie
noch hier, endlich nüchtern in meinen Armen,
Gespenst aus einem alten Jahrtausend! Was haben Sie
Ihre Verborgenheit verlassen, die Kühle der väterli-
chen Räume, was sitzen Sie nicht mehr, von Spinn-
weben umflattert und verblichenen Fahnen auf Ihrem
Schloß, im späten Licht des Mondes über Zabernsee,
von Ihren Millionen umgeben, was zogen Sie zu unbe-
kannten Abenteuern in eine fremde Welt hinaus?

ÜBELOHE Mich jammerte der Menschen.

Salve.

MISSISSIPPI Sie liebten sie alle?
ÜBELOHE Alle.
MISSISSIPPI In ihrem Schmutz, in ihrer Gier?
ÜBELOHE In allen ihren Sünden.
MISSISSIPPI Was verstellen Sie sich, gräfliche Hoheit?
ÜBELOHE Sie haben mich erkannt?
MISSISSIPPI Ich habe dich erkannt.

Salve.

MISSISSIPPI Da, nimm den Kuß des Judas! Ich, der die
  Welt richtet, habe dich, der die Welt liebt, aufgegeben.
  Die Christenheit ist tot, die zwei steinernen Tafeln, die
  Gott aus dem Berge Sinai brach, werden dich, stür-
  zend, unter sich begraben. Verfluche die Stunde, da
  ein Engel, niederfahrend, dich schlug, da der Geist, ein
  Blitzstrahl, dich zerschmetterte, er hat dich zu einem
  Urbild der Jämmerlichkeit verwandelt, das sich kaum
  noch auf den Beinen halten kann, zu einem lausigen
  Philanthropen, schwimmend in Meeren von Absinth
  und billigem Schnaps. Nutzlos war, was Sie taten,
  Herr Graf, verschwendet dem Nichts Ihre Werke, in
  den grünen Dschungeln versunken Ihre Urwaldspitä-
  ler, lianenumschlungen. Was ist noch geblieben?
ÜBELOHE Nichts als meine Liebe.

Salve.

MISSISSIPPI Sie lieben Anastasia?
ÜBELOHE Nur sie, immer nur sie.
MISSISSIPPI Dann lieben Sie die Menschheit nicht mehr?
ÜBELOHE Die Menschheit, von der ich auf meinem
  Schloß zwischen den Fahnen meiner Väter träumte
  und die ich unter glühenden Tränen liebte, zerrann in
  nichts, nur Anastasia blieb. Nur durch sie liebe ich die
  Menschen aufs neue.
MISSISSIPPI Und was haben Sie von dieser Liebe zu einer
  Frau, die Ihnen nicht gehört?
ÜBELOHE Nichts als die Hoffnung, daß die Seele meiner
  Geliebten nicht verloren ist, solange ich sie liebe,
  nichts als diesen Glauben!
MISSISSIPPI Schwach ist Ihre Liebe, Herr Graf! Was wäre

Anastasia geworden, wenn sie nur Ihre Liebe hätte?
Ein Wesen der Finsternis, lüstern nach immer neuen
Opfern, ein Leib, zitternd nach Umarmung, mit der
nie geheilten Wunde des Gattenmords in ihrer Flanke!

ÜBELOHE Und was ist Anastasia durch das Gesetz Mosis
geworden, das Sie ihr geboten haben?

MISSISSIPPI Ein Engel der Gefängnisse, auch von jenen
geliebt, die ich zum Tode verurteilt habe.

ÜBELOHE *packt Mississippi* Sie zweifeln nicht an Ihrer
Ehe?

MISSISSIPPI Sie ist die vorbildlichste Ehe des zwanzigsten
Jahrhunderts.

Salve. Sie ducken sich.

ÜBELOHE Sie glauben an Ihre Frau?

MISSISSIPPI Unerschütterlich.

ÜBELOHE Daß sie besser geworden ist?

MISSISSIPPI Sie ist besser geworden.

ÜBELOHE Daß zwischen euch die Wahrheit ist und nicht
die Angst, die namenlose Angst?

MISSISSIPPI Ich glaube an sie, wie ich an das Gesetz glaube.

ÜBELOHE Du Narr, dessen Knochen ich jetzt zerbreche,
du tönerner Riese, dem ich nun die Wahrheit ins
Gesicht schleudere. Was liebst du ein Weib um seiner
Werke willen? Weißt du nicht, daß die Menschen-
werke lügen? Wie kleingläubig ist deine Liebe, wie
blind ist dein Gesetz, denn sieh, ich liebe diese Frau
nicht als eine Gerechte, ich liebe sie als eine Unglück-
liche. Nicht als eine Gefundene, sondern als eine Verlorene.

MISSISSIPPI *stutzt* Was wollen Sie damit ausdrücken?

ÜBELOHE Mein Herr –

MISSISSIPPI Darf ich um eine Erklärung bitten, Graf Übelohe-Zabernsee?

ÜBELOHE Herr Staatsanwalt: Es ist meine Pflicht, Ihnen
mitzuteilen, daß Anastasia meine Geliebte gewesen ist,
als sie noch mit ihrem ersten Gatten François verheiratet war.

*Totenstille. Dann hört man draußen Befehle. Pferdege-
trappel. Schrille Pfiffe, das Zurückweichen der Menge.*

MISSISSIPPI Der Aufstand ist niedergeschlagen. Die Regierung hat gesiegt. Erheben Sie sich, Herr Graf.

ÜBELOHE Bitte.

Mississippi erhebt sich. Ebenso Übelohe.

MISSISSIPPI *ruhig* Meine Frau hätte demnach den Rübenzuckerfabrikanten aus Liebe zu Ihnen vergiftet?

ÜBELOHE Das war der Grund seines Todes.

MISSISSIPPI Öffnen Sie die Türe zum Boudoir meiner
Frau, Graf Übelohe-Zabernsee!

Übelohe öffnet die Türe links.

ÜBELOHE *unsicher* Sie wollen Anastasia fragen?

MISSISSIPPI Ich halte dies für den natürlichsten Weg. Sie
haben meine Gattin eines Ehebruchs bezichtigt. Ich
werde Ihre Anklage unnachsichtig prüfen. Doch seien
wir uns im klaren: Die Antwort meiner Frau wird
einen von uns zerschmettern. Entweder werde ich vor
Ihnen als ein ungeheuerlicher Narr dastehen, oder Sie

vor mir als ein vollkommen vertrottelter Alkoholiker,
dem seine Delirien offenbar die unsinnigsten Wunsch-
träume vorspiegeln.

ÜBELOHE Ich bewundere Ihre Sachlichkeit, mein Herr.

MISSISSIPPI Anastasia.

*In der Türe links erscheint Anastasia und geht langsam
gegen die Mitte des Zimmers, wo sie beim Kaffeetisch
stehen bleibt.*

ANASTASIA Was will man von mir?

MISSISSIPPI Graf Übelohe hat eine Frage an Sie zu stellen,
Madame. Schwören Sie, die Wahrheit zu sagen?

ANASTASIA Ich schwöre.

MISSISSIPPI Bei Gott?

ANASTASIA Ich schwöre bei Gott.

MISSISSIPPI Fragen Sie nun meine Frau, Graf Bodo von
Übelohe-Zabernsee.

ÜBELOHE Anastasia, ich habe an dich nur eine Frage zu
stellen.

ANASTASIA Frage!

ÜBELOHE Liebst du mich?

ANASTASIA Nein!

Übelohe erstarrt.

ÜBELOHE *endlich, taumelnd* Das kannst du doch nicht
antworten, Anastasia!

ANASTASIA Ich liebe dich nicht.

ÜBELOHE Das ist nicht wahr.

ANASTASIA Ich habe bei Gott geschworen, die Wahrheit
zu sagen.

ÜBELOHE Aber du bist doch meine Geliebte geworden!

ANASTASIA Ich war nie deine Geliebte.

ÜBELOHE Du hast dich mir in der Nacht, bevor François starb, hingegeben!

ANASTASIA Du hast mich nie berührt!

ÜBELOHE *wie um Hilfe schreiend* Du hast doch François nur getötet, weil du mich zum Manne haben wolltest!

ANASTASIA Ich habe ihn getötet, weil ich ihn liebte.

ÜBELOHE *rutscht auf den Knien zum Tisch, hinter dem Anastasia steht* Erbarme dich doch! Sage die Wahrheit! Erbarme dich doch! *Er umfängt den Tisch.*

ANASTASIA Ich habe die Wahrheit gesagt.

Übelohe bricht zusammen.

ÜBELOHE *vernichtet* Tiere! Ihr seid Tiere!

Draußen Signale eines Krankenautos.

MISSISSIPPI *schneidend* Sie haben die Wahrheit gehört. Anastasia liebt Sie nicht.

ÜBELOHE Tiere! Tiere!

Es klopft heftig an die Tür rechts.

MISSISSIPPI *würdig* Graf Bodo von Übelohe-Zabernsee, die wahnwitzigen Behauptungen, die Sie aus den Brüsten der Urwälder sogen, leider Gottes noch inspiriert durch Ihre Alkoholexzesse, erweisen sich als unhaltbar. Anastasia war nie Ihre Geliebte! Damit haben Sie die Zahl Ihrer Delikte bedauerlicherweise vermehrt, zur ungesetzlichen Herausgabe eines gefährlichen Giftes ist eine platte Verleumdung getreten, ein Umstand, der nicht daran zweifeln läßt, daß Sie nicht nur in physischer, sondern auch in moralischer Hinsicht auf eine immer schauerlichere Weise haltlos verlottern.

Da öffnet sich mit einem Schlag die Türe rechts, und ein Arzt mit zwei Wärtern tritt herein. Alle in weißen Mänteln.

DER ARZT Professor Überhuber von der Städtischen Nervenklinik.
MISSISSIPPI *ohne sich darum zu kümmern* Gestehen Sie, daß Sie gelogen haben.
ÜBELOHE Ihr seid Tiere!

Überall in den Türen links und rechts und in den Fenstern – wo Saint-Claude und der Minister verschwunden sind – sowie aus der Standuhr heraus drängen sich Ärzte in weißen Kitteln und mit dicken Hornbrillen auf die Bühne.

PROFESSOR ÜBERHUBER Ich bin vom Sanitätsdepartement ermächtigt, Sie zur Begutachtung in die Klinik zu überführen. Eine persönliche Anordnung des neuen Ministerpräsidenten. Der alte befindet sich bereits in unserer Pflege. Sie sind ein so eminent interessanter Fall, Herr Staatsanwalt, daß ich gleich den ganzen psychiatrischen Ärztekongreß hergebeten habe.

Die Ärzte klatschen gedämpft Beifall.

MISSISSIPPI Herr Graf, Sie haben eben feierlich verkündet,

daß man der Wahrheit ins Gesicht sehen soll, fanatisch, bedingungslos, mit dem Mut des Wahnsinnigen.
Sie haben Ihr Wort nicht gehalten, ich bin zutiefst
enttäuscht. Jetzt ist es an mir, die Wahrheit zu verkünden, Herr Professor ...

PROF. ÜBERHUBER Mein lieber Herr Staatsanwalt?

MISSISSIPPI Ich habe ein Geständnis abzulegen.

PROF. ÜBERHUBER Na dann los, mein lieber Staatsanwalt.

MISSISSIPPI Der Ort, wo Sie mich hinführen müssen, ist
nicht die Irrenanstalt, sondern das Gefängnis.

PROF. ÜBERHUBER Selbstverständlich.

ÄRZTE Typische Schizophrenie.

MISSISSIPPI Ich vergiftete meine erste Frau.

PROF. ÜBERHUBER Natürlich.

ÄRZTE Eine fixe Idee.

MISSISSIPPI Und meine zweite Frau ihren ersten Mann.

PROF. ÜBERHUBER Aber ja.

ÄRZTE Eine charakteristische Halluzination.

MISSISSIPPI Ich habe die Wahrheit gesagt, nichts als die
Wahrheit, die ganze Wahrheit.

PROF. ÜBERHUBER Gewiß.

ÄRZTE Jetzt kommt die Krise.

MISSISSIPPI Bringt meine Frau und mich ins Gefängnis.

PROF. ÜBERHUBER Aber ja.

ÄRZTE Die Krise ist gekommen.

MISSISSIPPI Ich habe die Wahrheit gesagt, nichts als die
Wahrheit, die ganze Wahrheit.

PROF. ÜBERHUBER Führt ihn in die Irrenanstalt.

Sie führen Mississippi ab.

MISSISSIPPI Ich schwöre es.

PROF. ÜBERHUBER *verneigt sich* Grämen Sie sich nicht um
    seine Worte, gnädige Frau. Patienten von seiner Art
    halten sich gerne für Mörder und die Personen, die sie
    lieben, für Kriminelle. Wir kennen das. Es wird ihm
    bald besser gehen. Je schwerer die Krankheit, um so
    größer der Triumph der Medizin.

*Die Ärzte klatschen gedämpft Beifall. Professor Überhu-
ber verneigt sich noch einmal vor Anastasia, geht dann
nach rechts ab. Die Ärzte gehen ebenfalls zu den Türen,
durch die Fenster, zur Standuhr hinaus. Anastasia und
Übelohe sind allein. Übelohe erhebt sich langsam.*

ANASTASIA Du hast die Wahrheit gesagt, und ich habe
    dich verraten.
ÜBELOHE Die Furcht war größer als deine Liebe.
ANASTASIA Immer ist die Furcht größer.
ÜBELOHE Das Wunder ist geschehen.
ANASTASIA Wir sind frei.
ÜBELOHE Doch getrennt.
ANASTASIA Auf ewig.
ÜBELOHE Der Glaube ist verloren.
ANASTASIA Etwas Wasser im Sande versickert.
ÜBELOHE Die Hoffnung entschwunden.
ANASTASIA Eine kleine Wolke, die zu nichts wurde.
ÜBELOHE Allein meine Liebe ist geblieben.
ANASTASIA Die Liebe eines lächerlichen Menschen.

*Übelohe geht langsam nach rechts hinaus. Anastasia steht
unbeweglich. Man hört das Geräusch eines Flugzeugs.*

ANASTASIA Das Flugzeug nach Chile ist aufgestiegen.

Eine Tafel mit einem gemalten Flugzeug, das durch Wolken fliegt, deckt die Szene zu. Vor den Vorhang tritt Saint-Claude, im Frack, wie im ersten Akt. Ein Rasiertuch um den Hals.

SAINT-CLAUDE Lassen wir das Flugzeug fliegen nach der gelobten Republik Chile. Entlassen wir auch den Grafen, er hat uns genug gestört. Im Gewühl der Großstadt wird er untergehen, in den ausgedehnten Sümpfen seiner Schnäpse vielleicht durch einen Messerstich, vielleicht, wenn es hochkommt, in einem Armenspital, das er einmal selber stiftete. Kümmern wir uns nicht mehr um ihn. Wenden wir uns dem andern Morgen zu. Die Szenerie ist traurig genug. Sie werden sich dessen überzeugen, wenn sich einmal das Flugzeug nach oben verflüchtigt – zum letztenmal: Das Zimmer ist in einem fürchterlichen Zustand und wohl endgültig heruntergekommen, die Möbel kaum mehr zu beschreiben, alles weiß von Gips und Mörtel. Sie werden es sehen. Nur in der Mitte, unwirklich, offenbar überhaupt nicht zu zerstören, der Kaffeetisch, immer noch Biedermeier, gedeckt für zwei Personen wie zu Beginn, jedoch nicht für Anastasia und Herrn Mississippi, sondern für Anastasia und mich, auch das können wir nicht verschweigen. Daß ich mir hier den Bart abnehme, sagt schließlich genug. *Er nimmt sich den Bart ab.* Daß ich wieder einmal ruiniert bin und von vorne anfangen muß, erraten Sie. Das Ende des Aufstands war jämmerlich, der Sieg des neuen Ministerpräsidenten vollkommen, die Folgen in meiner Karriere peinlich: Schon hat mich die Rote Armee degradiert und das polnische Parlament mein Mandat

aufgehoben, kurz, meine Rehabilitierung wird wieder
einmal rückgängig gemacht. Ich habe mich ganz einfach wieder einmal getäuscht. Für Sie, meine Damen
und Herren, ist es vielleicht besser so. Und es bleibt
mir nichts anderes übrig als zu berichten, wie drei
Menschen in e i n e r Partie mattgesetzt werden.

Die Tafel mit dem Flugzeug geht hoch.

SAINT-CLAUDE Eben hören Sie die ersten Salutschüsse
vom antiken Tempel her. Die Stadt rüstet sich, die
Hochzeit des neuen Ministerpräsidenten zu feiern.
*Draußen an den Fenstern ziehen Diego und seine
Braut vorbei mit zwei Kindern, welche die Schleppe
tragen usw.* Sie sehen das hohe Paar an den Fenstern
vorbei zur Kathedrale gleiten, ihn, den wir ja zur
Genüge kennen, sie, die neue Landesmutter, Heraus-
geberin der hierorts so überaus viel gelesenen ›Evening
Post‹, errötend, im Brautkleid von Dior. Die Macht
dürfte gesichert sein, die Ordnung wiederhergestellt,
die alte Pracht und Herrlichkeit restauriert sich von
neuem. Vor diesem feierlichen Ereignis nun, vor den
immer erneuten Hochrufen eines beglückten Volkes,
vor den schwungvollen Darbietungen der vereinigten
Töchterschulen, der städtischen Liedertafel und der
Philharmoniker, die Beethovens Neunte erdröhnen
lassen, endlich vor den mit dumpfer Majestät einset-
zenden Glocken der Kathedrale, vor diesem festlichen
Hintergrund also hebt sich die nun folgende Szene
schmerzlich ab.

Die Anfangstakte der Neunten ertönen. Während der

ganzen letzten Szene ist die Neunte nicht als Hintergrundkulisse zu hören, sondern die einzelnen Motive sind als Pointen einzusetzen.
Durch das Fenster rechts steigt Mississippi ins Zimmer herein. Er trägt einen Irrenhausanzug mit viel zu langen Ärmeln und verschwindet rechts in seinem Zimmer.

SAINT-CLAUDE Das war der Staatsanwalt. Es gelang ihm, aus dem Irrenhaus zu entweichen. Unglücklicherweise befand ich mich noch nicht im Zimmer, als er durch das Fenster stieg, sonst hätte mich mein Freund Paule erblicken müssen, wie ich mich vor der letzten Scherbe dieses Spiegels rasierte, und hätte endlich begriffen. So hatte er keine Ahnung von meiner Gegenwart und ich nicht von der seinen, und wie ich ihm später hätte die Augen öffnen können, war dies schon sinnlos: So rapid räumte das Schicksal mit ihm auf, das er sich selbst bereitete. Anastasia – der ebenso lächerliche Grund meines Todes – ohne sie wäre ich schon längst in Sicherheit – kam etwas später. Sie war in der Stadt gewesen, angeblich im Frauenzuchthaus Sankt Johannsen, in Wirklichkeit hatte sie jedoch vergeblich versucht, den neuen Ministerpräsidenten zu sprechen. Er war – wir kennen den Grund – ›Evening Post‹ – unauffindbar. Es blieb ihr nichts anderes übrig, als zu resignieren. Dann war sie auf die Bank gegangen und kommt nun, als wohltätige Dame verkleidet, in ihrem Mantel und mit der Krokodilledertasche in ihre Wohnung zurück.

Von rechts kommt Anastasia atemlos.

ANASTASIA Mississippi ist geflüchtet!

Das Scherzo der Neunten Symphonie erklingt.

SAINT-CLAUDE *gleichgültig* Ach nee.

ANASTASIA Irrenhauswärter und Polizisten umzingeln ihn im Stadtpark.

SAINT-CLAUDE Hasenjagd. *Er kehrt sich um.* Wo bist du gewesen?

ANASTASIA Im Frauenzuchthaus Sankt Johannsen.

SAINT-CLAUDE Quatsch. In der Bank. *Er nimmt ihr die Handtasche, öffnet sie, nimmt ein Couvert heraus und steckt es in seine Tasche.* Wieviel?

ANASTASIA Fünfhundert.

SAINT-CLAUDE Gut.

ANASTASIA Du hast dich rasiert.

SAINT-CLAUDE Habe ich mich verändert?

ANASTASIA Ja.

SAINT-CLAUDE Dann zieh dein Abendkleid an. Der amerikanische Gesandte gibt ein Fest auf seinem Landsitz.

ANASTASIA Was kümmert dich die amerikanische Gesandtschaft?

SAINT-CLAUDE Eine Gelegenheit, die Stadt unerkannt zu verlassen. Kein Mensch wird denken, daß ich diese Route nehme. Wozu habe ich sonst den Frack deines Mannes angezogen? *Er packt sie am Arm und betrachtet sie prüfend.* Vorhin ist mir eine glänzende Idee gekommen. Wir flüchten zusammen.

ANASTASIA *ängstlich* Die Polizei sucht mich?

SAINT-CLAUDE Nein. Die Partei sucht mich. Sie schloß mich aus.

ANASTASIA Was soll das heißen?

SAINT-CLAUDE Sie wird jetzt alles unternehmen, mich zu liquidieren. Die Partei weiß genau, daß sie nur jene zu

fürchten hat, welche die Ideale ernst nehmen, die sie
zu verkörpern vorgibt. Wir gehen nach Portugal.

ANASTASIA Und was sollen wir in Portugal tun?

SAINT-CLAUDE Bis jetzt hat sich die Weltrevolution überall im Sande verlaufen. Ich will sie von dort aufs neue
ausrufen, von einer anderen Ecke des Planeten aus.
Eine nicht unbeträchtliche Anstrengung. Wir beginnen
in den Kanalisationsgängen, steigen in die Nachtasyle
hinauf, wechseln zu den Kaschemmen hinüber, und
schließlich baue ich dir ein anständiges Bordell.

*Er nimmt die kleine silberne Glocke und läutet. Von
rechts kommt das Dienstmädchen, auch das noch erhalten, wenn auch etwas angebrannt.*

SAINT-CLAUDE Kaffee!

*Das Dienstmädchen verschwindet. Das Andante der
Neunten beginnt. Anastasia nähert sich Saint-Claude und
beobachtet ihn aufmerksam.*

ANASTASIA Du bist mit leeren Händen bei mir gestrandet.
Du warst allein, ohne Freunde, gehaßt sogar von
deinen Genossen. Du kamst zu mir, gehetzt von den
Geheimagenten, und ich versteckte dich. Du warst
krank, und ich pflegte dich. Du hattest Hunger, und
ich schlief mit dir. Von meinem Himmelbett aus konntest du deine berühmte Partei reorganisieren. Sogar
deine Genossen hast du in meinem Zimmer versammelt, diese Strolche mit ihren schmutzigen Schuhen
auf meinen Orientteppichen – und mit ihren ewigen
Regenmänteln. Bei mir plantest du deine ganze Revo-

lution, und jetzt, wo die Sache wieder einmal schiefge-
gangen ist, hast du die Liebenswürdigkeit, mir zum
Dank eine Stelle als Hure anzubieten.

SAINT-CLAUDE Ich setze dich nur deiner Bestimmung
gemäß ein. Du bist meine Geliebte geworden, um dich
auch gegen unsere Seite zu sichern, und ich habe dich
zu meiner Geliebten gemacht, um deiner Fähigkeiten
sicher zu werden. Du bist für das, was ich brauche, das
größte Talent, das zu finden ist.

ANASTASIA Du bildest dir ein, ich steige so weit hinunter?

SAINT-CLAUDE Für die Gattin des Staatsanwaltes wird es
ein Aufstieg sein. Was bist du? Ein Weib, dessen
Männerverbrauch ungeheuer ist. In deiner neuen Ver-
wendung wirst du eines der natürlichsten Mittel sein,
von den besitzenden Klassen Geld zur Finanzierung
ihres Zusammenbruchs zu bekommen, die einzige
Chance, dich zum Wohle der Welt einzusetzen und
nicht zu ihrer Ausbeutung.

ANASTASIA Strizzi.

SAINT-CLAUDE Nutte.

DAS DIENSTMÄDCHEN Der Kaffee.

*Saint-Claude geht zum Fenster links, dem Publikum den
Rücken zukehrend.*

SAINT-CLAUDE *ohne sich umzukehren* Schenk ein.

Das Dienstmädchen gehorcht und geht rechts ab.

ANASTASIA *greift totenbleich nach dem Medaillon, das ihr
am Halse hängt* Und wenn ich nicht mit dir komme?

SAINT-CLAUDE Wo willst du denn hin?

ANASTASIA Der Ministerpräsident ist mein Freund.

SAINT-CLAUDE In seiner Position dürfte eine Verbindung mit einer Giftmischerin für ihn wohl kaum mehr opportun sein.

ANASTASIA Er weiß es nicht.

SAINT-CLAUDE Ich klärte ihn auf.

ANASTASIA Liebenswürdig.

Anastasia öffnet das Medaillon und entnimmt ihm etwas, das wie ein Stück Zucker aussieht.

SAINT-CLAUDE Wenn du nicht mit mir kommst, kommt die Polizei zu dir.

ANASTASIA Praktisch.

Anastasia tut mit einer ruhigen, eleganten Bewegung das zuckerstückähnliche Ding über den Tisch in die Tasse, die sich rechts befindet.

SAINT-CLAUDE Der einzige Politiker, der sich den Luxus leisten kann, dich auszuhalten, bin ich.

ANASTASIA Wir werden sehen.

SAINT-CLAUDE Ist der Kaffee bereit?

ANASTASIA Serviert.

SAINT-CLAUDE *kommt zum Tisch.* Ist Zucker drin?

ANASTASIA Nein.

Saint-Claude nimmt ein Stück Zucker aus der Dose, tut es in die Tasse rechts, rührt mit dem Löffel. Setzt die Tasse an den Mund, hebt sie ab, ohne zu trinken, fixiert Anastasia, setzt die Tasse wieder auf den Tisch.

ANASTASIA *unsicher* Du trinkst nicht?

98044

SAINT-CLAUDE Es war Zucker drin. *Er wischt sich den Schweiß ab.* Ich trinke den Kaffee vielleicht besser in der Stadt, mein Kind. Dein Glück. Es hätte dir nichts genützt, denn der Bankbeamte, mit dem du flüchten wolltest, wird heute abend verhaftet. Leider wird er eine bedeutende Summe auf sich haben, die ihm nicht gehört. Du siehst, auch ich habe gewisse Vorsichtsmaßnahmen getroffen. Geh, zieh dein Abendkleid an, wir müssen fahren. Ich komme mit einem Wagen zurück. Dann hast du deine Koffer wenigstens nicht umsonst gepackt.

ANASTASIA Einverstanden. Wir gehen nach Portugal. *Geht links hinaus.*

SAINT-CLAUDE So ging sie in ihr Zimmer. Ich blickte ihr nach, lachte, betrachtete grauenerfüllt meine Tasse, griff über den Tisch nach der ihren und trank sie aus. *Er tut dies alles.* Oh, ich kannte sie, der vergiftete Kaffee blieb unberührt, und hätte ich mich nicht im Übermaß meiner Hoffnung, die Revolution schließlich doch noch irgendwo durchzuführen, unerkannt geglaubt, als ich in einer verlassenen Garage des Hafenviertels einen neugestohlenen, frischlackierten Wagen stahl – das Garagenpersonal lief zur öffentlichen Hochzeitsfeier – und hätte ich bei meiner Rückkehr durch den Garten die drei Männer nicht übersehen, die sich teils hinter dem Apfelbaum, teils hinter der Zypresse schlecht genug verbargen – mit diesem so nützlichen Geschöpf, mit dieser Hure Babylons hätte ich mir die ganze Welt unterworfen!

Er entfernt sich durch das Fenster rechts. Das Zimmer ist nur für einen Moment leer. Der vierte Satz der Neunten beginnt. Durch die Tür im Hintergrund rechts kommt

Mississippi. Er ist in der feierlichen schwarzen Robe des Staatsanwalts. Er tritt an den Kaffeetisch, sieht die leere Tasse Anastasias, füllt sie. Dann greift er unter die Robe und holt eine kleine goldene Dose hervor. Öffnet sie. Was nun folgt, ist leicht zu erraten: Er entnimmt ihr ein zuckerähnliches Ding und tut es über den Tisch hinweg in die Tasse Anastasias links. Alles ganz simpel, nicht unelegant.

Von links kommt nun Anastasia in einem feuerroten Abendkleid, einen Reisekoffer in der Hand. Sie bleibt unbeweglich stehen, wie sie Mississippi sieht.

MISSISSIPPI *verneigt sich* Gnädige Frau.

ANASTASIA *endlich* Florestan!

MISSISSIPPI Nennen Sie mich ruhig Paule. Die ganze Welt weiß, wie ich heiße.

ANASTASIA Es ist Wahnsinn, hieher zu kommen.

MISSISSIPPI Es ist nicht Wahnsinn, seine Frau noch einmal zu besuchen, bevor man für immer verschwindet, Madame. Aus dem Irrenhaus entkommt man nicht ein zweites Mal.

ANASTASIA Paule, ich freue mich so sehr, mit Ihnen zusammen ins Gefängnis zu gehen, um unsere Verbrechen zu gestehen.

MISSISSIPPI Geben Sie diesen Traum auf, gnädige Frau, er war zu schön. Ich habe das Büro meines Nachfolgers mit Briefen überflutet. Er glaubt mir nicht. Er hält mich für wahnsinnig.

ANASTASIA Auch ich habe Ihrem Nachfolger geschrieben. Auch mir glaubt er nicht. Er hält mich für den Engel der Gefängnisse.

MISSISSIPPI Wollen Sie sich nicht setzen?

ANASTASIA Selbstverständlich! Gewiß! *Sie weist auf den
Sessel.* Ich bitte Sie.

MISSISSIPPI Wir tranken Kaffee, als wir uns vor fünf Jahren kennenlernten, und nun wollen wir, da wir
Abschied zu nehmen haben, dasselbe tun. Der Ort ist
derselbe, doch leider, leider stark verändert: Die
Tapete dahin, die Liebesgöttin kaum noch zu erraten,
die Louis-Quatorze-, -Quinze-, -Seize-Möbel demo-
liert, und nur noch der Biedermeier-Kaffeetisch ist
zum Glück heil geblieben.

Anastasia setzt sich links. Mississippi nun ebenfalls rechts.

MISSISSIPPI Darf ich Sie bitten, mir den Zucker zu reichen?
Sie reicht ihm den Zucker hinüber. Ich danke Ihnen.
Ich bedarf dringend der Stärkung. Die Strapazen der
Flucht waren ungeheuer. Ich fand den Tisch für zwei
gedeckt, Madame. Haben Sie jemand zum Frühstück
erwartet?

ANASTASIA Ich erwartete Sie.

MISSISSIPPI Sie wußten, daß ich kommen würde?

ANASTASIA Ich ahnte es.

MISSISSIPPI Was soll dieser Koffer? Wollen Sie verreisen?

ANASTASIA Ich bin gesundheitlich angeschlagen. Ich muß
mich wieder in Adelboden erholen.

*Das Motiv des Andante im vierten Satz der Neunten
Symphonie ist zu hören.*

MISSISSIPPI In diesem ebenso herrlichen wie gewagten
Kleid?

ANASTASIA Ich zog es für Sie an.

MISSISSIPPI Ich bemerkte es nie an Ihnen.

ANASTASIA Ich trug es am Tage, da François starb. *Sie sieht nach dem Porträt.*

MISSISSIPPI Sie sehen, auch ich habe mich für unseren Abschied würdig gekleidet. *Lauernd* Sie wünschen keinen Kaffee zu trinken, Madame?

ANASTASIA Doch. Ich will trinken. Er wird mir guttun. *Sie trinkt.*

MISSISSIPPI *atmet auf* Wir sind jetzt fünf Jahre miteinander verheiratet, gnädige Frau, fünf glückliche Jahre. *Er trinkt.* Donnerwetter, ist der aber stark gezuckert.

ANASTASIA Fünf Jahre. Ich tat alles, was Sie von mir gefordert haben. Ich ging zu den Gefangenen, ich tröstete sie und sah sie sterben. Ich vergaß nie, weshalb ich dies tun mußte. Täglich dachte ich an François, wie ich es Ihnen versprochen hatte. *Sie sieht nach dem Bild.*

MISSISSIPPI Und ich an Madeleine.

Er sieht ebenfalls nach den Bildern. Sie beobachtet lauernd, wie er die Tasse austrinkt.

MISSISSIPPI Sie sind mir treu geblieben.

ANASTASIA Ich bin Ihnen treu geblieben, wie ich François die Treue hielt. *Sie trinkt aufatmend ihren Kaffee aus.* Darf ich Ihnen noch eine Tasse einschenken?

MISSISSIPPI Ich bitte darum.

Anastasia will einschenken.

MISSISSIPPI Sie haben demnach nicht falsch geschworen, gnädige Frau?

Anastasia setzt die Kaffeekanne wieder ab.
Aus der Neunten ist die Stelle zu hören: ›O Freunde, nicht
diese Töne, sondern laßt uns angenehmere anstimmen
und freudevollere‹.

ANASTASIA Wie, sind Sie gekommen, mich das zu fragen?
  Darum kehrten Sie zurück, und darum sitzen Sie hier
  vor mir in diesem fürchterlichen Mantel?
MISSISSIPPI Vergessen Sie, daß ich Ihr Gatte bin, vergessen
  Sie die Stunden, die Sie mit mir teilten, vergessen Sie
  Ihre traute Arbeit in der Gefangenenfürsorge. Sehen
  Sie in diesem Augenblick in mir nur den Staatsanwalt,
  der seiner fürchterlichen Pflicht auch einem geliebten
  Wesen gegenüber nachzukommen hat. Oh! *Er stöhnt,*
  preßt seine rechte Seite und sinkt auf den Stuhl zurück.
ANASTASIA *lauernd* Sie sind krank?
MISSISSIPPI Ein heftiges Seitenstechen befiel mich, offen-
  bar rheumatischen Ursprungs. Ich muß mich gestern,
  als ich unter dem Apfelbaum lag, erkältet haben. *Er*
  steht auf. Doch schon geht es besser. Fahren wir mit
  dem Verhör fort, gnädige Frau.
ANASTASIA Ihr Benehmen ist mir unerklärlich, mein
  Herr.
MISSISSIPPI Sie zwingen mich zu einem Schritt, den ich
  schon einmal habe tun müssen.

Er läutet mit der kleinen silbernen Glocke, von rechts
kommt das Dienstmädchen.
Aus der Neunten ist zu hören ›Deine Zauber binden
wieder, was die Mode streng geteilt‹.

DAS DIENSTMÄDCHEN Gnädiger Herr?

MISSISSIPPI Erinnern Sie sich des Grafen Bodo Übelohe-Zabernsee, Lukrezia?

DAS DIENSTMÄDCHEN Der Herr Graf ging hier ein und aus, als der alte Herr noch lebte.

MISSISSIPPI Haben sich gnädige Frau und der Herr Graf in Abwesenheit des Rübenzuckerfabrikanten geküßt, Lukrezia?

DAS DIENSTMÄDCHEN Und wie.

MISSISSIPPI Hat die gnädige Frau den Herrn Grafen einmal in ihrem Schlafzimmer empfangen?

DAS DIENSTMÄDCHEN Und wie.

MISSISSIPPI Wann, Lukrezia?

DAS DIENSTMÄDCHEN In der Nacht vor dem Tod des alten Herrn.

MISSISSIPPI Warum war der Rübenzuckerfabrikant nicht zu Hause, Lukrezia?

DAS DIENSTMÄDCHEN Er verbrachte die Nacht anderswo.

MISSISSIPPI Ich danke Ihnen, Lukrezia, Sie können jetzt wieder an Ihre Arbeit gehen.

Das Dienstmädchen verschwindet nach rechts.

MISSISSIPPI Gnädige Frau, in derselben Nacht, da Sie den Grafen Übelohe-Zabernsee in Ihrem Schlafzimmer empfingen, machte sich Ihr Gatte François des Ehebruchs mit meiner Gattin Madeleine in meinem eigenen Schlafzimmer schuldig. Ich erinnere mich, ich war auch nicht zu Hause: Ich hatte den Vorsitz bei einem internationalen Kongreß der Staatsanwälte zu führen. Gnädige Frau, geben Sie sich Rechenschaft, daß es mir in meiner Eigenschaft als Gatte fast unmöglich ist, an Ihre Unschuld zu glauben?

ANASTASIA Wenn Sie mir nicht glauben, kann ich Ihnen nicht helfen.

MISSISSIPPI Es ist für einen Menschen unmöglich, einen anderen Menschen so zu kennen, daß er ohne Glauben auskommt, aber bei mir geht es um mehr: Ich muß die Gewißheit haben, daß Sie nicht falsch geschworen haben. Es geht um den Sinn des Gesetzes selbst. In seinem Namen wurde unsere Ehe geschlossen. Es ist sinnlos, wenn es mir nicht gelungen ist, Sie zu ändern, Sie, einen e i n z i g e n Menschen, wenn Sie sich diese fünf Jahre hindurch nur verstellt haben, wenn Ihre Sünde, Madame, größer ist, als ich sie kenne, wenn Sie n i c h t s bis ins Tiefste rührte. Ich m u ß wissen, was Sie sind! Ein Engel oder ein Teufel!

ANASTASIA *steht auf* Das können Sie nicht wissen, das können Sie nur glauben.

MISSISSIPPI *erhebt sich ebenfalls* Ein Satz, der in Ihrem Munde heilig oder eine Blasphemie ist, gnädige Frau.

ANASTASIA Ich schwöre noch einmal vor Gott: Ich habe die Wahrheit gesagt.

MISSISSIPPI *nach langer Pause, leise* Sie schwören dies auch, wenn ich Sie vor das Letzte stelle?

ANASTASIA *mißtrauisch* Was meinen Sie damit?

MISSISSIPPI Vor den Tod.

Stille.

ANASTASIA *lauernd* Sie wollen mich töten?

Sie preßt plötzlich ihre Hand auf ihre rechte Seite und setzt sich langsam auf ihren Stuhl.
Vom Chor der Neunten ist die Stelle zu hören ›Und der Cherub steht vor Gott‹.

MISSISSIPPI Erkennen Sie das typische Symptom nicht? Es läßt in der Regel sofort nach, und nach einiger Zeit erfolgt der Tod schmerzlos.

ANASTASIA *springt auf* Sie haben mich vergiftet?

MISSISSIPPI Im Kaffee, den Sie getrunken haben, war jenes Gift, mit dem Sie ihren Mann François vergiftet haben und ich meine Gattin Madeleine.

Aus dem letzten Satz der Neunten ist der schnelle Instrumentalsatz zwischen den Chören zu hören.

ANASTASIA Im Kaffee?

MISSISSIPPI Im Kaffee. Fassen Sie sich, Madame! Wir sind am schauerlichen Schlußpunkt unserer Ehe angelangt. Sie stehen dem Tode gegenüber.

Anastasia will davonstürzen.

ANASTASIA Ich will zu Doktor Bonsels!

MISSISSIPPI *umklammert sie* Sie wissen genau, daß Ihnen kein Arzt der Welt wird helfen können.

ANASTASIA Ich will leben! Ich will leben!

MISSISSIPPI *sie riesenhaft umfassend* Sie müssen sterben!

ANASTASIA *wimmernd* Warum hast du das getan?

MISSISSIPPI Um die Wahrheit zu wissen!

ANASTASIA Ich habe die Wahrheit gesagt!

Mississippi, der sie an den Schultern gepackt hat, drängt sie von rechts nach links über die Bühne. Aus der Neunten ist zu hören ›Seid umschlungen, Millionen, diesen Kuß der ganzen Welt‹.

MISSISSIPPI Du hast nur François geliebt?

ANASTASIA Nur ihn.

MISSISSIPPI Nie besaß dich ein anderer Mann, nie warst du eine Ehebrecherin?

ANASTASIA Nie!

MISSISSIPPI Und dieses Kleid, das du trägst? Für wen hast du dich gekleidet, wen hast du erwartet?

ANASTASIA Dich, nur dich.

MISSISSIPPI Du bist zu den Gefangenen hinuntergestiegen, du hast gesehen, wie sie ihre Köpfe in den Schoß der Guillotine legten. Schwöre nicht mehr bei Gott, schwöre bei diesen Toten, zu denen du jetzt gehörst.

ANASTASIA Ich schwöre!

Von ferne hört man den Schlußchor der Neunten Symphonie: ›Freude, schöner Götterfunken …‹

MISSISSIPPI Dann schwöre auch beim Gesetz, in dessen Namen ich getötet habe, dreißig Jahre lang.

ANASTASIA *keuchend* Ich schwöre auch beim Gesetz.

MISSISSIPPI Ich spüre, wie dein Leben dich verläßt, wie immer schwerer dein Leib in meinen Armen hängt. Wie bist du nun kalt, da ich dich umfange. Hat es noch einen Sinn, jetzt zu lügen, im Angesicht Gottes?

ANASTASIA Ich habe die Wahrheit gesagt.

Sie sinkt zu Boden, Mississippi über sie.

MISSISSIPPI Dann ist das Gesetz nicht sinnlos? Dann ist es nicht sinnlos, daß ich getötet habe? Nicht sinnlos, diese Kriege, diese Revolutionen, die sich häufen, die sich zu einem einzigen ungeheuren Trompetenstoß des

Todes verdichten? Dann ändert sich der Mensch, wenn er gestraft wird? Dann hat das Jüngste Gericht einen Sinn?

ANASTASIA Ich schwöre, ich schwöre.

Sie stirbt.
Von der Neunten ist zu hören ›Brüder, überm Sternenzelt
muß ein lieber Vater wohnen‹.
Durch das Fenster steigt Saint-Claude.

SAINT-CLAUDE Nun, Paule?

MISSISSIPPI *langsam* Louis!

SAINT-CLAUDE Du bist nicht mehr im Irrenhaus?

MISSISSIPPI *langsam* Ich bin noch einmal zurückgekehrt.

Saint-Claude geht zum Kaffeetisch und betrachtet die leere Tasse Mississippis, die leere Tasse Anastasias.

SAINT-CLAUDE Ist das deine Frau?

MISSISSIPPI Ich habe sie getötet.

Mississippi erhebt sich.

SAINT-CLAUDE Wozu?

MISSISSIPPI Um die Wahrheit zu erfahren.

SAINT-CLAUDE Und hast du sie erfahren?

MISSISSIPPI *kommt langsam zum Tisch, die Hand wieder einmal auf seine rechte Seite gepreßt* Meine Frau hat nicht gelogen. Sie war keine Ehebrecherin.

Er setzt sich langsam auf den Stuhl links. Saint-Claude betrachtet Anastasia.

SAINT-CLAUDE Muß man eine Frau töten, das zu erfahren?

MISSISSIPPI Sie war für mich die Welt. Meine Ehe war ein fürchterliches Experiment. Ich habe um die Welt gekämpft und gesiegt. Kein Mensch kann lügen, wenn er so stirbt wie sie.

SAINT-CLAUDE Man müßte den Hut vor ihr ziehen, wenn sie das könnte. Sie wäre dann eine Art Heilige.

MISSISSIPPI Sie war der einzige Mensch, der zu mir stand, und nun weiß ich auch, Louis, daß ich sie liebte.

SAINT-CLAUDE Das ist keine Kleinigkeit.

MISSISSIPPI Doch nun bin ich müde. Mich friert. Ich spüre die Kälte unserer Jugend wieder, wenn ich die Bibel las und du ›Das Kapital‹ unter den Gaslaternen.

SAINT-CLAUDE Das waren noch Zeiten, Paule!

MISSISSIPPI Das waren unsere schönsten Zeiten, Louis! Wir waren voll Sehnsucht und voll wilder Träume, fiebernd vor Hoffnung auf eine bessere Welt. *Er steht auf.* Mir ist schwer. Führe mich in mein Zimmer.

Saint-Claude stützt ihn.

MISSISSIPPI *plötzlich mißtrauisch* Warum bist du hieher gekommen?

SAINT-CLAUDE Mich von dir zu verabschieden.

MISSISSIPPI Du wußtest, daß ich hier bin?

SAINT-CLAUDE Im Irrenhaus warst du nicht.

MISSISSIPPI *lacht* Du willst fort?

SAINT-CLAUDE Nach Portugal. Ich muß wieder von vorne anfangen.

MISSISSIPPI Wir müssen immer wieder von vorne anfangen. Wir sind echte Revolutionäre. Ich fliehe mit dir, Bruder.

SAINT-CLAUDE Wir gehören zusammen.

MISSISSIPPI Wir gründen ein Bordell. Ich bin Portier, und du machst den Innendienst. So pflanzen wir, wenn Himmel und Hölle auseinanderbrechen, mitten ins wankende Weltgebäude die rote Fahne der Gerechtigkeit.

Er sinkt plötzlich zusammen, und Saint-Claude läßt ihn auf den Sessel rechts gleiten.

MISSISSIPPI Mir schwindelt vor Müdigkeit. Ich sehe dich nur noch als einen Schatten, der dunkler und dunkler wird. *Über den Tisch zusammenbrechend* Ich gebe nicht auf. Nie. Ich will doch nur das Gesetz Mosis wiedereinführen.

Es ist still.
Die letzten Klänge der Neunten Symphonie verhallen.
Saint-Claude rüttelt Mississippi, nimmt die Tasse weg, wirft sie auf den Boden, dann Anastasias Tasse. Klingelt. Von rechts kommen die drei Männer in Regenmänteln, die rechte Hand in der Tasche.

DER ERSTE Du bist zum Tode verurteilt, Saint-Claude. Hände hinter den Kopf.

Saint-Claude gehorcht.

DER ZWEITE Zwischen die Fenster.

Saint-Claude gehorcht.

DER DRITTE Kehr dich gegen die Standuhr.

Saint-Claude gehorcht.
Schuß.

DER ERSTE So stirbt man am einfachsten.

Saint-Claude bleibt stehen.
Die drei in Regenmänteln gehen nach rechts hinaus.
Saint-Claude kehrt sich um.

SAINT-CLAUDE So trieben sie ihre Kugeln in meinen Leib,
    ihr kennt die Geschichte.

Er setzt sich an den Kaffeetisch rechts.

MISSISSIPPI *setzt sich wieder aufrecht* So fielen wir, Hen-
    ker und Opfer zugleich, durch unsere eigenen Werke.
DER MINISTER *erscheint im Fenster rechts* Während ich,
    Macht begehrend und nichts anderes, die Welt umarme –

Anastasia hat sich erhoben und geht zum Minister, der sie
umfängt.

ANASTASIA Eine Hure, die unverändert durch den Tod
    geht.
SAINT-CLAUDE Doch, ob wir auch liegen, hier in dieser
    Ruine
MISSISSIPPI Ob wir sterben an einer weißgetünchten
    Mauer
SAINT-CLAUDE Immer kehren wir wieder, wie wir immer
    wiederkamen

MISSISSIPPI In immer neuen Gestalten, uns sehnend nach
immer ferneren Paradiesen

SAINT-CLAUDE Ausgestoßen aus eurer Mitte immer aufs
neue

MISSISSIPPI Genährt von eurer Gleichgültigkeit

SAINT-CLAUDE Dürstend nach eurer Brüderlichkeit

MISSISSIPPI Fegen wir hin über eure Städte

SAINT-CLAUDE Drehen wir keuchend die mächtigen
Flügel

MISSISSIPPI Die Mühle treibend, die euch zermalmt.

*Im Fenster links erscheint Übelohe, allein sichtbar, einen
verbeulten Helm aus Blech auf dem Kopf, eine verbogene
Lanze in der Rechten, immer wieder getaucht in den
kreisenden Schatten einer Windmühle.*

ÜBELOHE Was erhebst du deinen Leib aus den Morgen-
nebeln, die sich breit über die Ebene Montiel lagern

Was tauchst du, armkreisend, Riese, dein Haupt prah-
lend in die Sonne,
die, mir gegenüber,
das katalanische Gebirge hinaufrollt, der Nacht entlassen

Sieh mich, Windmühle, schmatzender Gigant,
den Bauch mit Völkern mästend,
die dein bluttropfender Flügel zerhackt

Sieh Don Quichotte von der Mancha,
den ein versoffener Wirt zum Ritter schlug,
der eine Saumagd liebt in Toboso

Oftmals zusammengehauen, oftmals verlacht
und dennoch dir trotzend.

Wohlan denn!

Wie du uns aufhebst mit deiner sausenden Hand,
Roß und Mann, jämmerlich beide,
wie du uns in das schwimmende Silber
des gläsernen Himmels schmetterst:

Stürze ich auf meiner Schindermähre
über deine Größe hinweg
in den flammenden Abgrund der Unendlichkeit

Eine ewige Komödie

Daß aufleuchte Seine Herrlichkeit,
genährt durch unsere Ohnmacht.

Die Ehe des Herrn Mississippi

Drehbuch

Motto

»Ähnlichkeiten mit einem gleichnamigen Theaterstück eines gleichnamigen Autors sind rein zufällig.«

Die Ehe des Herrn Mississippi
1961

Regie	Kurt Hoffmann
Drehbuch	Friedrich Dürrenmatt
Anastasia	Johanna von Koczian
Mississippi	O. E. Hasse
Saint-Claude	Martin Held
Übelohe	Hansjörg Felmy
Thomas Jones, Justizminister	Charles Regnier

1 *Titel: Die Ehe des Herrn Mississippi*

2 *Ein Kehrichthaufen, aus welchem ein Junge eine Bibel hervorzieht.*

KOMMENTAR Dies ist die Geschichte dreier Männer, die die Welt ändern wollten, denn die Ungerechtigkeit und die Unordnung unter den Menschen hatte zugenommen. Der erste fand in seiner Jugend ein Altes Testament. In einem Kehrichthaufen.

3 *Ein anderer Junge zieht aus der Tasche eines Ermordeten ein Buch und flieht.*

KOMMENTAR Der zweite ›Das Kapital‹ von Karl Marx. In der Tasche eines ermordeten Zuhälters.

4 *Die beiden Jungen lesen zusammengekauert unter einer Laterne in ihren Büchern.*

KOMMENTAR Der erste träumte von der göttlichen Gerechtigkeit, niedergeschrieben im Gesetz Mosis, der zweite sehnte sich danach, auf Erden die menschliche Gerechtigkeit zu errichten. Durch die Weltrevolution.

5 *Eine Herzogin, die einen vornehmen Jungen unterrichtet.*

KOMMENTAR Während der dritte – wir zeigen den noch
zarten Knaben – die Welt durch die Liebe retten
wollte: Seine Tante, die Fürstin Amalie, erzog ihn
christlich. Er war ein Graf und unermeßlich reich, die
beiden andern waren Gassenjungen und unermeßlich
arm. Um die Welt ändern zu können, benötigten sie
Geld.

6   *Bordell. Von innen. Vor der Glastüre das Schattenbild
Mississippis, auf und ab wandelnd. Innen Saint-Claude
entsprechend beschäftigt.*

KOMMENTAR Der erste, kaum erwachsen, arbeitet deshalb
als Portier in der flottgehenden und stark besuchten
Pension Aurora, der zweite als freundlicher Maître de
Plaisir, kalter Geschäftsführer und allmächtiger Perso-
nalchef. Eines Morgens war nach dem Besuch des
Schwerindustriellenverbandes in ihrem Etablissement
die Kasse schwer genug.

7   *Mississippi und Saint-Claude flüchten mit der Kasse
über eine weite Ebene. Sie erreichen einen Wegweiser, auf
dem Moskau und Oxford steht. Sie brechen die Kasse auf,
teilen das Geld, schwören und reichen sich die Hände.
Dann trennen sie sich. Mississippi geht in Richtung
Oxford, Saint-Claude in Richtung Moskau davon.*

KOMMENTAR Sie brannten mit ihr durch – teilten das Geld
– schworen, sich nie wieder zu sehen, und nahmen
Abschied voneinander.

8   *Man sieht den dritten Arm des Wegweisers. Er weist
in die Höhe. Anschrift: Himmel.*

KOMMENTAR Der Weg, den der dritte wählte, stellte höhere Anforderungen. Der Graf studierte Medizin und stiftete.

9 *Das Armenspital Sankt Georg von außen.*

KOMMENTAR Hier die Stiftung. Das durch Umbauten schon längst verschandelte Schloß seiner Väter ist wieder einmal – umgebaut worden.

10 *Vor der Türe Übelohe im Kreise der Krankenschwestern und Assistenzärzte.*

KOMMENTAR Im Hofe erblicken wir den Stifter. Er ist Chefarzt geworden und unterhält sich eben mit geretteten Trinkern.

11 *Mississippi erhält den Hut eines Ehrendoktors.*

KOMMENTAR Doch auch die beiden andern stiegen empor. Der erste erhielt den Ehrendoktor der Alttestamentarischen Fakultät der Universität Zürich …

12 *Saint-Claude in Uniform mit Regierungsmitgliedern salutierend.*

KOMMENTAR … und den zweiten bewundern wir anläßlich einer Truppenparade in Bukarest. So wollten alle drei das Gute, der Jurist, der Bolschewist, der Internist, jeder nach seiner Erkenntnis.

13 *Das Profil Anastasias, die mit einem weißen Mercedes durch Europa-City gefahren wird.*

KOMMENTAR Doch hatten alle drei das grausame Pech, mit einer Frau zusammenzukommen, die weder zu ändern noch zu retten war, weil sie nichts als den Augenblick liebte, so daß sich denn dieser Film ebensogut nennen könnte: Anastasia und ihre Liebhaber.

14   *Titel: Anastasia und ihre Liebhaber.*
Darunter mit dem fahrenden weißen Mercedes einige Straßen und Ausblicke von Europa-City.

KOMMENTAR Übrigens, auch das ist nicht unwichtig: Da sich unsere Geschichte beinah überall ereignen könnte, lassen wir sie am liebsten gleich in Europa-City spielen.

15   *Die Namen der Schauspieler. Darunter weitere Ausblicke von Europa-City: Bald erblickt man den Eiffelturm, bald das Brandenburger-Tor, bald etwas Zürich usw. Nach dem Vorspann mit den Schauspielern erblickt man das Wilhelm-Tell-Denkmal von Altdorf.*

KOMMENTAR Entschuldigen Sie, daß wir kurz unterbrechen: Dies stellt einen unserer Nationalhelden dar. In Bronze. Anders kommen Nationalhelden kaum mehr vor.

16   *Einige Münchner mit großen Bierkrügen, im Hintergrund die Frauenkirche.*

KOMMENTAR Und hier noch einige Ureinwohner unserer Kapitale. Wie gesagt – entschuldigen Sie.

17   *Der Vorspann geht weiter.*

18   *Der weiße Mercedes hält vor dem Eingang des Zen-tralfriedhofs. Anastasia steigt als Witwe heraus, geht in den Friedhof.*

19   *Friedhofsallee. Anastasia geht hindurch.*

20   *Anastasia kommt zu zwei frischen Gräbern, bleibt vor dem einen stehen. Betrachtet es in stummer Trauer. Noch provisorisches Holzkreuz. Inschrift: ›François. Ruhe sanft.‹ Kränze. Auf einer Schleife: ›Die Rübenzucker-fabrik Gusto ihrem Chef.‹*

KOMMENTAR Wir können endlich beginnen. Bei schön-stem Vorfrühlingswetter. Wir befinden uns auf dem Zentralfriedhof. Am Grabe unseres tüchtigsten Steuer-zahlers, des Chefs der Rübenzuckerfabrik Gusto. Bie-nen umsummen die frischen Blumen – vorhin Rosen – jetzt Nelken – Immortellen – letzte Grüße – und nun die Witwe – achten Sie auf ihr stilles, ernstes Profil. Der Herr daneben grüßt das Nebengrab.

21   *Vor das andere Grab tritt nun Mississippi. Schwarzer steifer Hut. Schwarzer Mantel, schwarzes Halstuch. Auch er verharrt in Trauer. Auf dem Grab ebenfalls provisori-sches Holzkreuz. Inschrift: ›Madeleine. Ruhe wohl.‹ Ebenfalls Kränze.*
Andächtige Stimmung vor den beiden Gräbern. Nun wendet sich der Witwer der Witwe zu.

MISSISSIPPI Gnädige Frau. Mein Name ist Florestan Mis-

sissippi. Darf ich Ihnen für den unerwarteten Tod
Ihres Gatten meine tiefe Teilnahme ausdrücken?

ANASTASIA *schnell* François starb an einem Herzschlag.

MISSISSIPPI Auch meine junge Gattin ist vor wenigen
Tagen dahingerafft worden.

ANASTASIA Das tut mir leid.

*Mississippi dankt mit einer leichten Verneigung. Beide
verharren aufs neue schweigend. Nur von ferne das Bran-
den des Großstadtverkehrs. Tuten von Autos. Alles über-
tönt von Vogelgezwitscher.*

MISSISSIPPI Unsere Familie besitzt seit Jahr und Tag den
gleichen Hausarzt wie die Ihre, den alten Doktor
Bonsels. Er stellte bei meiner Gattin ebenfalls Herzschlag als Todesursache fest. Meine Gattin hieß Madeleine.

ANASTASIA *erschrocken* Madeleine?

MISSISSIPPI Madeleine.

ANASTASIA Die Freundin meines Mannes?

MISSISSIPPI Die Geliebte Ihres Mannes. – Wir sind von
Ihrem toten Gatten François und von meiner toten
Gattin Madeleine betrogen worden, gnädige Frau.

Anastasia zieht ihren Mantel fröstelnd zusammen.

ANASTASIA *tonlos* Das ist entsetzlich.

MISSISSIPPI Die Tatsachen der Ehe sind oft entsetzlich.

*Schweigen. Einige Raben fliegen krächzend davon. Die
betrogene Witwe und der betrogene Witwer verneigen
sich noch einmal vor den Gräbern.*

22 *Dann gehen sie durch die Allee gegen den Hauptein-gang zurück.*

23 *Die beiden erreichen das Hauptportal.*

ANASTASIA Sie müssen mich jetzt entschuldigen. Ich bin am Ende meiner Kraft. *Er verneigt sich.*
MISSISSIPPI Verzeihen Sie mir, daß ich die Vergangenheit aufwerfen mußte.
ANASTASIA Als Mann brauchen Sie Klarheit. *Sie stutzt.* Wo ist denn mein Chauffeur?
MISSISSIPPI Ich muß Sie bitten, meinen Wagen zu be-nutzen.

Er hebt den Stock. Ein großer Polizeiwagen braust heran. Zwei Polizisten springen heraus, öffnen die hintere Türe des Wagens. Anastasia ist totenbleich geworden.

ANASTASIA Was soll das heißen?
MISSISSIPPI Ich bin der Generalstaatsanwalt.

Anastasia erschrickt.

24 *Der Polizeiwagen fährt mit Sirenengeheul durch die Stadt.*

25 *Im Polizeiwagen vorne, durch eine Scheibe getrennt, drei Polizisten. Hinten Mississippi neben Anastasia. Anastasia beobachtet ihn ängstlich. Will reden. Schweigt wieder. Mississippi unbeweglich, eisig, unnahbar.*

ANASTASIA Mein Herr.

MISSISSIPPI Gnädigste.

ANASTASIA Ich bin verhaftet?

MISSISSIPPI Vorgeladen.

ANASTASIA Ich begreife nicht –

MISSISSIPPI Sie begreifen ganz genau.

ANASTASIA Ich habe doch nichts getan.

MISSISSIPPI Sie haben Ihren Mann vergiftet.

ANASTASIA *wie vor den Kopf geschlagen* Nein, nein –
Dann bricht sie plötzlich empört in einen Schrei aus.
Nein!

Mississippi schweigt.

ANASTASIA *eisig* Der Arzt, Doktor Bonsels, hat festgestellt, daß es sich beim Tode meines Gatten eindeutig
um Herzschlag handelte. Ich darf ohne weiteres
annehmen, daß auch der Generalstaatsanwalt sich in
das Urteil der Wissenschaft fügen wird.

MISSISSIPPI Menschen, für die ich mich interessiere, sind
noch nie an einem Herzschlag gestorben.

Der Wagen hält vor dem Justizpalast.

26   *Mississippi führt Anastasia die große Treppe zum
Justizpalast hinauf.*

27   *Ein riesiges Wandgemälde im Zimmer des General-
staatsanwalts wird sichtbar. Moses mit den Gesetzesta-
feln. Dann der Schreibtisch, hinter dem Mississippi sitzt.
Endlich Anastasia. Sie steht unbeweglich in der Mitte des
Raumes. Mississippi weist auf einen Lehnstuhl vor seinem
Schreibtisch.*

MISSISSIPPI Setzen Sie sich.

ANASTASIA *feindlich* Nein.

MISSISSIPPI Legen Sie ab.

ANASTASIA Nein.

MISSISSIPPI Kaffee?

ANASTASIA Ich habe meinen Mann nicht vergiftet.

Mississippi schlägt ein Dossier auf.

MISSISSIPPI Dann tut es mir leid, Ihnen den Namen Graf Bodo von Übelohe-Zabernsee nennen zu müssen.

Anastasia erschrickt maßlos, faßt sich dann wieder.

ANASTASIA *langsam* Ich kenne diesen Namen nicht.

MISSISSIPPI Es handelt sich um den Chefarzt und Gründer der Armenklinik Sankt Georg.

ANASTASIA *langsam* Ja – ich kenne ihn nur ganz flüchtig.

Sie setzt sich endlich in den Sessel vor dem Schreibtisch. Er blättert in den Akten weiter.

MISSISSIPPI Sie baten Graf Bodo am sechzehnten um zwei Stück eines weißen zuckerähnlichen Giftes.

ANASTASIA *hartnäckig* Er hat mir das Gift nicht gegeben.

MISSISSIPPI Bodo von Übelohe-Zabernsee hat gestanden.

ANASTASIA *heftig* Das ist nicht wahr!

MISSISSIPPI Nach seiner Aussage hätten Sie ihm angegeben, Sie wollten mit dem Gift Ihren Hund töten.

ANASTASIA *schnell* Ich mußte meinen Hund töten. Er war krank.

Mississippi drückt auf einen Knopf. Ein Justizbeamter erscheint.

PFEIFFER Herr Generalstaatsanwalt?

MISSISSIPPI Führen Sie die Zeugin vor, Pfeiffer.

PFEIFFER Jawohl, Herr Generalstaatsanwalt.

Er verschwindet und kommt mit einem Dienstmädchen zurück. Anastasia zuckt zusammen.

ANASTASIA Mein Dienstmädchen!

MISSISSIPPI Es ist Aufgabe der Staatsanwaltschaft, sich gründlich vorzubereiten. *Er blättert im Dossier, wendet sich dann dem Dienstmädchen zu.*

LUKREZIA Bitte schön.

MISSISSIPPI Wie heißen Sie?

LUKREZIA Lukrezia.

MISSISSIPPI Besitzt gnädige Frau einen Hund, Lukrezia?

LUKREZIA Er ist tot.

MISSISSIPPI Wann ist der Hund gestorben, Lukrezia?

LUKREZIA Vor einem Monat.

MISSISSIPPI Führen Sie die Zeugin hinaus, Pfeiffer, sie ist entlassen.

PFEIFFER Jawohl, Herr Generalstaatsanwalt.

Er geht mit dem Dienstmädchen ab.
Anastasia sitzt unbeweglich.

MISSISSIPPI Vor vier Wochen haben Sie Ihren Hund verloren und vor fünf Tagen das Gift bei Ihrem Jugendfreund Graf Übelohe-Zabernsee geholt. Zwei Stück in Zuckerform eines schnell tötenden Giftes. Und am – gleichen Tage ist Ihr Gatte gestorben.

ANASTASIA *leise* Ich habe meinen Gatten nicht vergiftet.

MISSISSIPPI Sie weichen der klaren Vernunft nicht?

ANASTASIA Ich bin unschuldig.

*Mississippi erhebt sich. Zieht die Robe des Generalstaats-
anwalts an.*

MISSISSIPPI Dann war die Verzweiflung meiner Frau eine
 bloße Einbildung?
ANASTASIA Ihre Frau verzweifelte?
MISSISSIPPI Der Gedanke, daß Sie Ihren Gatten getötet
 haben könnten, brachte Madeleine an den Rand des
 Wahnsinns.
ANASTASIA Sie litt vor Ihrem Tode?
MISSISSIPPI Grauenvoll.

Anastasia springt auf.

ANASTASIA Ich habe erreicht, was ich wollte. Ich habe
 mich an Ihrer Gattin gerächt. Sie zahlte mir jede
 Sekunde ihrer Lust tausendfach mit Verzweiflung zu-
 rück.
MISSISSIPPI Sie haben demnach Ihren Gatten getötet, gnä-
 dige Frau?
ANASTASIA Wir haben uns geliebt, er hat mich betrogen,
 und dann habe ich ihn getötet.
MISSISSIPPI Mit dem Gift des Grafen Übelohe?
ANASTASIA François nahm ein Stück und starb.
MISSISSIPPI Und Sie bereuen diese fürchterliche Tat nicht?
ANASTASIA Ich würde sie immer wieder tun.

Die beiden stehen sich Auge in Auge gegenüber.

MISSISSIPPI Ich blicke in einen Abgrund der Leidenschaft.

ANASTASIA *müde und gleichgültig* Nun können Sie Ihrer
    Pflicht nachkommen, Herr Generalstaatsanwalt.

Mississippi drückt auf den Knopf.
Pfeiffer erscheint in der Türe.

PFEIFFER Bitte, Herr Generalstaatsanwalt?
MISSISSIPPI Rougemont soll die Dame nach Hause fahren.
PFEIFFER Jawohl, Herr Generalstaatsanwalt.

MISSISSIPPI *verneigt sich* Gnädige Frau. Erwarten Sie mich
    heute um acht in Ihrer Wohnung.

Anastasia blickt erstaunt, verläßt das Zimmer. Im glei-
chen Moment kommt Staatsanwalt Chatterley in der
Robe eines Staatsanwalts.

CHATTERLEY Der Prozeß Melker und Keuer beginnt.
    Wollen Sie die Anklagerede verlesen, oder soll ich es
    tun, Herr Generalstaatsanwalt?
MISSISSIPPI Ich komme.
CHATTERLEY Ist etwas beim Verhör dieser Witwe heraus-
    gekommen?
MISSISSIPPI Nichts, Chatterley. Die Dame ist unschuldig.
CHATTERLEY *etwas zweifelnd* Das ist das erste Mal, daß
    Sie falsch getippt haben, Herr Generalstaatsanwalt.

28   *Im Wagen. Anastasia beugt sich zum Chauffeur.*

ANASTASIA Fahren Sie mich in die Armenklinik Sankt
    Georg.
ROUGEMONT Wird gemacht, Madame.

29 *Armenklinik Sankt Georg. Eingang. Anastasia geht hinein.*

30 *Anastasia geht durch einen Korridor.*

31 *Anastasia kommt in eine Halle. An der Wand Bänke. Darüber die Büste des Gründers Bodo von Übelohe-Zabernsee. Einige alte Weiblein. Die alte Schwester hinter dem Schreibtisch.*

SCHWESTER Suchen Sie jemanden?
ANASTASIA Wo ist der Graf?
SCHWESTER Der Chef ist nach Borneo geflogen.
ANASTASIA Nach Borneo?
SCHWESTER Nach Tampang auf Borneo.
ANASTASIA *zornig* Was will er denn in Borneo?
SCHWESTER Ein Urwaldspital übernehmen. Der Generalstaatsanwalt war bei ihm. Dann ist der Chef eben nach Borneo geflogen. Ganz überstürzt. Das Rote Kreuz hat das Spital übernommen. Wir sind ratlos, gnädige Frau, wirklich. Wir sind ratlos.

Sie schreibt weiter. Anastasia starrt sie hilflos an.

32 *Salon im Hause Anastasias. Rokokomöbelchen. Anastasia sitzt mitten im Zimmer auf einem Sessel, apathisch, rauchend, eine Zigarette um die andere, gleichgültig, neben ihr ein Köfferchen. Die Wanduhr zeigt acht. Mississippi kommt. Mit roten Rosen.*

LUKREZIA Bitte schön.
ANASTASIA Sie können mich abführen, Herr Generalstaatsanwalt.

MISSISSIPPI Ich bin nicht gekommen, Sie zu verhaften, ich
   bin gekommen, Sie zu bitten, meine Frau zu werden.
   Er verneigt sich feierlich. Überreicht ihr die Rosen.
ANASTASIA Sie wollen ...
MISSISSIPPI *sachlich* Sie sind schön. – Und dennoch sind
   Sie schuldig. Sie rühren mich aufs tiefste – ich bin
   vermögend, sehr gut besoldet, tief religiös und darf
   eine für unsern Stand ausreichende Pension erwarten.
ANASTASIA Das ist doch ungeheuerlich.
MISSISSIPPI Das menschliche Leben ist ungeheuerlich. Sie
   sind nun verwirrt. Überlegen Sie meinen Antrag in
   Ruhe. *Mississippi verneigt sich und geht wieder hinaus.*
KOMMENTAR Was sollte die arme Giftmischerin tun? Den
   Staatsanwalt heiraten? Den zarten Hals unter die Guil-
   lotine legen? Es gab noch eine dritte Möglichkeit ...

33   *Ein fahrender Zug. Berge. Schneelandschaft.*

34   *Im Speisewagen. Anastasia allein an einem Tisch.
Beim schwarzen Kaffee. Mississippi kommt. Mantel.
Koffer.*

MISSISSIPPI Gnädige Frau.
ANASTASIA *erschrickt maßlos* Sie?
MISSISSIPPI Ich. Gestatten – *Er setzt sich ihr gegenüber.*
   Ober, auch einen Kaffee. Sie fahren nach Borneo,
   gnädige Frau?
ANASTASIA Nach Borneo. In ein Urwaldspital. Ich will
   büßen. Durch tätige Menschenliebe ...
MISSISSIPPI Nicht nötig. Wir fahren bald in Wilderswil
   ein. Wir lassen uns im Dorfkirchlein trauen.
ANASTASIA In Wilderswil?

MISSISSIPPI In Wilderswil. Die gesetzlichen Formalitäten wird der Justizminister vornehmen. Die kirchlichen Landesbischof Jensen. Sie sind beide meine Jugendfreunde; wir haben zusammen in Oxford studiert.

ANASTASIA Ich verstehe Ihre Handlungsweise ganz einfach nicht. Als Generalstaatsanwalt können Sie doch unmöglich eine Frau heiraten, die ihren Gatten – *Sie bedient sich mit Zucker.* Sie wissen, was ich meine.

MISSISSIPPI *bedient sich ebenfalls mit Zucker.* Empfangen Sie auch von mir ein fürchterliches Geständnis. Auch ich habe meine Gattin getötet. Mit dem gleichen zukkerähnlichen Gift, wie Sie Ihren Gatten.

ANASTASIA *starrt ihn an.* Auch Sie?

MISSISSIPPI *felsenfest* Auch ich.

Anastasia ist wie vor den Kopf geschlagen, und Mississippi rührt mit dem Löffel in der Kaffeetasse.

MISSISSIPPI Nachdem ich den Rest des Giftes bei Graf Übelohe konfisziert hatte – es handelte sich noch einmal um zwei Stück –, ging ich heim und gab davon eines Madeleine nach dem Mittagessen in den schwarzen Kaffee, worauf sie eine halbe Stunde später sanft entschlief.

Er trinkt. Er stellt die Tasse ab.

MISSISSIPPI *dumpf* Es war die schlimmste halbe Stunde meines Lebens.

ANASTASIA *starrt ihn an.* Dann sind Sie also auch ein Mörder.

MISSISSIPPI Eben, gnädige Frau. Und für dieses Verbrechen muß ich bestraft werden. Ich habe das Urteil gefällt. Ich habe mich verurteilt, Sie zu heiraten. – Entschuldigen Sie mich bitte für wenige Minuten.

Mississippi geht mit dem Koffer aus dem Speisewagen, verschwindet in der Toilette.

35 *Erscheint wieder, festlich gekleidet.*

36 *Kleiner Bahnhof in einer tief verschneiten Berggegend. Der Schnellzug fährt ein.*

37 *Der Schaffner springt ab.*

SCHAFFNER Wilderswil! Wilderswil! – – Wilderswil!

38 *Anastasia und Mississippi steigen aus dem Zug.*

39 *Die Hochzeitsgäste. Alle in Pelzmänteln. Der Justizminister Sir Thomas Jones, Landesbischof Jensen. Mississippi stellt seine Braut vor.*

MISSISSIPPI Justizminister Sir Thomas Jones – Landesbischof Jensen – meine liebe Braut.

40 *Der Hochzeitszug stapft durch das tiefverschneite Tal einem kleinen Kirchlein zu. Manchmal versinken sie bis zu den Knien im Schnee. Links und rechts fahren hin und wieder Skiläufer vorbei. Vorne am Zug mit der Bibel Landesbischof Jensen. Hinter ihm Mississippi und Anastasia, dann die weiteren Hochzeitsgäste.*

41 *Das Innere der Kirche von Wilderswil. Die Hoch-*
zeitsgäste sind schon auf ihren Plätzen. Hinten in der
Kirche Mississippi, Anastasia am Arm.

ANASTASIA Mein Herr.

MISSISSIPPI Gnädige Frau?

ANASTASIA Sie fassen unsere Ehe offensichtlich als die
Strafe für die Ermordung Ihrer Frau auf?

MISSISSIPPI Ich wünsche, daß auch Sie die Ehe mit mir als
die Strafe für die Ermordung Ihres Gatten auffassen.

ANASTASIA Holen Sie lieber die Polizei.

MISSISSIPPI Unmöglich.

ANASTASIA Ich will keine Erleichterung der Strafe.

MISSISSIPPI Ich biete Ihnen keine Erleichterung, sondern
eine unendliche Erschwerung der Strafe an. Ich werde
Sie durch unsere Ehe sittlich läutern.

Die Orgel setzt ein.

42 *Mississippi und Anastasia schreiten Landesbischof*
Jensen entgegen, der sie am Altar erwartet.

ANASTASIA Sie wollen mich heiraten, um mich endlos
foltern zu können.

MISSISSIPPI Um u n s endlos foltern zu können. Unsere
Ehe wird für uns beide die Hölle bedeuten.

43 *Die Trauung. Mississippi und Anastasia vor Landes-*
bischof Jensen. Sie wechseln die Ringe usw., stumme
Szene. Dazu Kommentar.

KOMMENTAR Dies, meine Damen und Herren, war der

dramatische Beginn einer Ehe, die die zweite Frau unseres Generalstaatsanwalts entschieden läuterte, nahm sie doch an seinem Berufe tapfer teil.

44   *Das Fallbeil der Guillotine saust herunter.*

KOMMENTAR Die Hinrichtungen fanden stets freitags statt.

45   *Anastasia zwischen Mississippi (in Robe) und dem Zuchthausgeistlichen, der die Bibel liest. Ihre Augen aufgerissen, voll Entsetzen. Weitere Herren, würdig, dunkle Mäntel und Zylinder, stehen dabei. Ein Journalist, der sich Notizen macht.*

KOMMENTAR Doch bevor wir uns ihrem weiteren Wirken zuwenden, einige Bilder der häuslichen Atmosphäre.

46   *Ein altes Haus.*

KOMMENTAR Mississippis Villa. Angeblich erbaut von John Mississippi, angeblicher amerikanischer Kanonenkönig.

47   *Dasselbe noch einmal.*

KOMMENTAR Vom Gartenpavillon her gesehen.

48   *Bildersaal.*

KOMMENTAR Der Hausherr sammelt alte Stiche –

49   *Sammlung antiker Statuen.*

KOMMENTAR griechische Götter, Halbgötter, halbe Götter – schläft spartanisch. Auf dem Stehpult das Alte
Testament.

50 *Anastasias Schlafzimmer. Luxuriös. Himmelbett.*

KOMMENTAR Anastasias Schlafzimmer. Auf dem Bett ihr
Hündchen Noggi.

51 *Volkswagen in dichtem Verkehr.*

KOMMENTAR Ihr Volkswagen. Auf dem Weg zum Männerzuchthaus Sankt Theresien.

52 *Anastasia geht mit Blumen und kleinen Paketen
durch einen Gefängniskorridor.*

KOMMENTAR Und nun die Hausfrau selbst. Gereift. Wir
begleiten sie auf ihrem täglichen Rundgang durch das
Männerzuchthaus, nehmen an ihren Bemühungen teil,
diesen traurigen Ort der Gerechtigkeit menschlich
etwas aufzulockern.

53 *Eine Zellentüre öffnet sich. Ein gorillahafter Gefangener ...*

KOMMENTAR Sie schenkt den Opfern ihres Mannes Blumen, Schokolade und Zigaretten – falls sie rauchen –

54 *... wird mit Blumen, Schokolade und Zigaretten
überhäuft.*

KOMMENTAR was diese Burschen immerhin manchmal
    seelisch etwas aufrichtet – bevor sie hingerichtet
    werden.

55   *Anastasia mit strickenden wohltätigen Damen.*

KOMMENTAR Ihre größte Hingabe jedoch galt den Hinter-
    bliebenen, für die sie oft Nachmittage lang strickte – so
    daß man sie bald den Engel der Gefängnisse nannte.

56   *Gefangenenchor. Alle in gestreiften Häftlingsanzü-*
gen, jeder in einer Art gegen vorne geöffnetem Käfig. Vor
dem Chor sitzt auf einem Prunksessel Anastasia in einem
schlichten Anzug. Nur eine Perlenkette um den Hals.

DER CHOR Nun danket alle Gott, mit Herzen, Mund und
    Händen ...

57   *Während der Chor singt, gleitet der Blick zur Orgel,*
steigt die Pfeifen hoch und bleibt an einem Gipsengel
haften, der darüber befestigt ist und auffallend Anastasia
gleicht.

58   *Nun ist das gesamte Innere der Gefängniskirche zu*
überblicken. Im Hintergrund unter der Orgel die Gefan-
genen in ihren Käfigen, immer noch singend, dann das
Publikum. In der ersten Reihe der Justizminister und
Mississippi, die beide in Frack und Orden sind. Dann die
Damen und Herren der Gefangenenfürsorge. Beste
Gesellschaft, alte, dicke, perlenübersäte Weiber, alte
Generäle, Aristokraten und Diplomaten. Besonders ste-
chen McGoy, Van Bosch und Santamaria hervor, die in

*nicht ganz passenden blauen Anzügen dasitzen, mit Kon-
greßabzeichen. An den Wänden Polizei mit weißen Hel-
men. Dazwischen Fernsehkameras und Radiomikrophone
samt Personal, die Feier wird übertragen. Der Choral ist
zu Ende.*

WÄRTER Hinsetzen!

Die Gefangenen setzen sich.

59 *Der Justizminister schreitet mit einem Orden auf
Anastasia zu, legt ihn ihr um den Hals, verneigt sich
feierlich vor ihr.*

KOMMENTAR Der Justizminister – wir begegnen ihm nun
   schon zum dritten Mal – überreicht anläßlich einer
   kleinen Feier in der Gefängniskirche der Gattin seines
   besten Freundes den Orden pour la Charité.

60 *Mississippi schreitet zum Rednerpult, das von zwei
riesenhaften Polizisten flankiert ist. Während seiner Rede
sieht man die Reaktionen, die sie auf den Gesichtern
Anastasias, der Regierung und der Gefangenen usw. her-
vorruft.*

KOMMENTAR Mississippis große Stunde hat geschlagen,
   sein Glaube an den Sinn der Gerechtigkeit sich bestä-
   tigt.
MISSISSIPPI Herr Justizminister, meine Damen und Herren von der Gefangenenfürsorge – Abgeordnete des
   Internationalen Pädagogenkongresses, der in unserer
   Stadt tagt – meine lieben Gefangenen, Anastasia. Auch

mir als Generalstaatsanwalt kommt es zu, dir, meiner lieben Frau, öffentlich zu danken. Ich mußte schließlich nicht nur die meisten von Ihnen, meine lieben Gefangenen, die Sie eben so prächtig gesungen haben, mit langjährigen Zuchthausstrafen belegen, sondern auch dreihundertfünfzig Hinrichtungen durchsetzen, die letzte erst vorgestern.

EIN GEFANGENER *murmelnd* Verfluchter Hund.

MISSISSIPPI So lindert denn die Gefangenenfürsorge, die du, meine liebe Anastasia, aufgebaut und erweitert hast, mein Amt, das notgedrungen ein hartes sein muß. Denn, meine Damen und Herren, meine lieben Gefangenen, ich bin kein Unmensch, ich handle nicht aus Mordlust, wie die Opposition behauptet.

EIN GEFANGENER *schreit* Die hat recht!

MISSISSIPPI Keineswegs. Ich handelte allein aus der sittlichen Einsicht, daß eine Welt, deren einzige Religion der Genuß ist und die mit Frauen und Petroleum Tauschhandel treibt, nur durch eine rücksichtslose Anwendung des Gesetzes gerettet werden kann.

MCGOY Der Mann geht aufs Ganze ...

VAN BOSCH Hat einen tollen Schwung ...

SANTAMARIA Prima!

MISSISSIPPI Doch was sind unsere Gesetze? Sie sind im Laufe der Jahrtausende jämmerlich heruntergekommen. Sie sind, verglichen mit dem Gesetz des Alten Testaments – ein purer Hohn.

EIN GEFANGENER Schluß mit Köpfen!

DIE GEFANGENEN *im Takt* Schluß mit Köpfen! Schluß mit Köpfen! Schluß mit Köpfen! Schluß mit Köpfen!

MISSISSIPPI Es gibt nur eine Lösung. Wir müssen unsere korrupten Gesetze abschaffen und auf das Gesetz der

Gesetze zurückgreifen. Auge um Auge, Zahn um Zahn, Blut für Blut. – Herr Justizminister, meine Damen und Herren, meine lieben Gefangenen – *Tumult* – wir müssen das Gesetz Mosis wiedereinführen und erweitern!

Riesige Verblüffung.

JUSTIZMINISTER Das Gesetz Mosis?

MISSISSIPPI Das Gesetz Mosis! Die Menschheit muß dreitausend Jahre zurückgehen, um wieder vorwärtszukommen, sonst geht sie zum Teufel. Von nun an muß unweigerlich im Namen Gottes mit dem Tode bestraft werden: Mord, Unzucht, Korruption, Brandstiftung, Heuchelei, Lüge – *Tumult* – Ausbeutung ...

Er steckt sein Manuskript ein. Aufruhr.

61 *Der Organist (auch ein Gefangener) nimmt das als Zeichen, daß die Rede beendet ist und beginnt auf der Gefängnisorgel ›Ein' feste Burg‹ zu spielen.*

62 *Die Gefangenen klettern aus ihren Käfigen.*

EIN POLIZIST Retten Sie sich, Herr Generalstaatsanwalt. Sonst werden Sie gelyncht!

Mississippi ergreift Anastasia und flüchtet durch eine Seitentüre. Der Justizminister springt auf.

JUSTIZMINISTER Aber meine Damen und Herren: Würde!

GEFANGENER Bluthund!

JUSTIZMINISTER Würde, meine Damen und Herren!

Riesentumult. Die Polizei greift mit Gummiknütteln ein.

63   *Gefängniskirche. Die Schlacht zwischen Gefangenen und Polizei ist im vollen Gang. Die Damen und Herren der Gefangenenfürsorge sind die Opfer. Ein Diplomat verteidigt sich mit seinem Degen gegen einen Gefangenen, der mit einem Sessel anstürmt. Eine dicke Dame in Pelzmantel kriecht auf allen vieren herum, um ihre Perlen zu suchen. Fersehkameras fallen um, zwei Polizisten verprügeln Van Bosch, Gefangene, McGoy und Santamaria.*

JUSTIZMINISTER Würde, meine Damen und Herren! Meine Damen und Herren: Würde!
MCGOY Protestiere!
VAN BOSCH Hören Sie doch auf – wir sind vom Pädagogenkongreß!

Die beiden Polizisten halten verblüfft inne.

64   *Oben an der Orgel spielt der alte, etwas schwerhörige liebenswerte Organist ahnungslos und ergriffen weiter: Ein' feste Burg ...*

65   *Sitzungszimmer im Regierungsgebäude. Die Regierung ist versammelt. Wenn einer spricht, wird wie beim Fernsehen eine Schrift über ihn gelegt. Ministerpräsident, Innenminister usw. Ein Sekretär kommt.*

SEKRETÄR Der Führer der Opposition: William Schlender.

Schlender wird hereingeführt.

SCHLENDER Meine Herren. Ich protestiere energisch im Namen der Arbeiterschaft. Die Rede des Generalstaatsanwalts beweist, daß die Regierung eine noch härtere Justiz einführen will.

MINISTERPRÄSIDENT Wir haben nichts mit dieser Rede zu tun.

SCHLENDER Wenn dieser famose Herr Mississippi nicht entlassen wird, proklamieren wir den Generalstreik. Meine Herren, ich hatte die Ehre.

Schlender ab.

MINISTERPRÄSIDENT Ich entlasse den Generalstaatsanwalt auf der Stelle. Persönlich.

JUSTIZMINISTER Sie wollen also der Opposition nachgeben?

INNENMINISTER Das dürfen wir unter keinen Umständen.

AUSSENMINISTER Als Außenminister muß ich energisch protestieren. Nur jetzt keine Schwäche zeigen. Das könnten wir uns nicht leisten. Die Nato ...

MINISTERPRÄSIDENT Also, meine Herren: Zeigen wir nun Schwäche, wenn wir den Generalstaatsanwalt entlassen oder wenn wir ihn nicht entlassen?

INNENMINISTER Wenn wir ihn entlassen, innenpolitisch.

AUSSENMINISTER Wenn wir ihn nicht entlassen, außenpolitisch.

MINISTERPRÄSIDENT Ich hab's! Er muß seine Rede einfach dementieren. Dann wurde sie nicht gehalten, und was nicht gehalten wurde, kann auch nicht schaden – dann haben wir auch keine Schwäche gezeigt.

INFORMATIONSMINISTER Leider wurde die Rede im Rundfunk übertragen.

JUSTIZMINISTER Samt dem Skandal.

MINISTERPRÄSIDENT *erhebt sich* Meine Herren, dann muß er eben freiwillig demissionieren. Wenn wir keine Schwäche zeigen wollen.

Die andern haben sich ebenfalls erhoben, nur Sir Thomas bleibt sitzen.

JUSTIZMINISTER Und wenn er nicht von sich aus demissioniert?

MINISTERPRÄSIDENT Er muß einfach. Appellieren Sie an sein Pflichtgefühl. Sie sind doch mit ihm befreundet.

Alle ab.

66 *Im Hause des Generalstaatsanwalts. Mississippi beschäftigt sich in seinem Götterkabinett mit dem Fuß der Liebesgöttin. Sir Thomas Jones kommt.*

SIR THOMAS Mein lieber Florestan. Es tut mir leid, daß ich deinen freien Nachmittag störe.

MISSISSIPPI Es macht gar nichts, ich freue mich, dich zu sehen.

SIR THOMAS Wo ist deine liebe Gattin?

MISSISSIPPI In der Gefangenenfürsorge, wie immer. Da habe ich Zeit, meiner archäologischen Leidenschaft zu frönen. – Das ist ein Fuß der Aphrodite – Ich habe ihn in Samothrake gefunden. Spät-attisch. Äußerst knifflig, die fehlende Zehe fachgerecht zu dübeln! Bitte, nimm Platz. Was hast du mir zu sagen?

SIR THOMAS Der Ministerpräsident wünscht deinen frei-
willigen Rücktritt.

MISSISSIPPI Ich sehe nicht den geringsten Grund, seinem
Wunsche nachzukommen.

SIR THOMAS Reden wir ehrlich miteinander. – Du bist der
meistgehaßte Mann der Welt, und wir sind durch dich
die meistgehaßte Regierung der Welt. Wir müssen
deshalb ein Gentlemen's Agreement treffen.

MISSISSIPPI Einverstanden. – Reden wir ehrlich miteinander. – Mein harter Kurs im Strafvollzug war dir ganz
nützlich. Du konntest damit die politischen Morde
bestrafen und die Ruhe wiederherstellen. – Aber nun
willst du der Opposition dadurch das Wasser abgra-
ben, indem du bescheiden zu einer etwas gemäßigten
Justiz zurückkehrst.

SIR THOMAS Mein lieber Florestan: Als Justizminister
muß ich die Gerechtigkeit danach einschätzen, ob sie
politisch tragbar ist oder nicht. Bald muß man in
Gottes Namen köpfen, bald dem Teufel zuliebe gnädig
sein, darum kommt kein Staat herum.

MISSISSIPPI Du bist zynisch.

SIR THOMAS Regieren, mein Guter, ist nun einmal ein
zynisches Geschäft.

MISSISSIPPI Du hast die Rechnung ohne mich gemacht.

SIR THOMAS Du willst Forderungen stellen?

MISSISSIPPI Entweder reichst du morgen im Parlament die
Forderung ein, das Gesetz Mosis wiedereinzuführen,
oder ich veröffentliche die ungeheuerlichen Fälle von
Korruption, die im Schoße der Regierung in den letzten zehn Jahren vorgekommen sind.

SIR THOMAS Diese Fälle hast du gesammelt?

MISSISSIPPI Vollständig.

SIR THOMAS Ein Ultimatum also.

MISSISSIPPI Ich gebe der Regierung bis morgen Zeit.

SIR THOMAS Donnerwetter, bist du ein gefährlicher Bursche.

MISSISSIPPI Mein Leben lang habe ich auf diese Chance gewartet, und nun ist sie gekommen.

SIR THOMAS Glück muß man eben haben.

67 *Ein Schlafzimmer. Bett. Im Bett Sir Thomas, Anastasia in den Armen.*

ANASTASIA Ich will dich immer wieder küssen.

68 *Neben dem Bett steht ein Telefon. Es klingelt und wird von Sir Thomas abgehoben. Man hört ihn unwillig ›komme‹ knurren. Hinter dem Telefon ein Fenster, dahinter ein milder winterlicher Park, kurz vor dem Eindunkeln.*

69 *Arbeitszimmer. Ein Mann mit Mappe wartet. Militärischer Haarschnitt, korrekter Anzug. Im Hintergrund öffnet sich eine Türe, der Justizminister erscheint. Im Schlafrock.*

OBERST Guten Abend, Herr Minister.

SIR THOMAS Nun?

OBERST Frédéric René Saint-Claude ist zurückgekehrt, Herr Minister. Einer der erfolgreichsten kommunistischen Agenten.

Er will dem Justizminister ein Dokument mit der Fotografie Saint-Claudes übergeben, der zeigt jedoch kein Interesse.

SIR THOMAS Weiter –

OBERST Saint-Claude bereitete in Rumänien die Revolution vor, und in Laos hat er –

SIR THOMAS Keine überflüssigen Details, Oberst. Sein wahrer Name?

OBERST Sein wahrer Name ist Louis Bouchat. Er arbeitete vor vierzig Jahren hier in Europa-City im Bordell Aurora. Mit seinem Freunde Paule Kellermann zusammen. Die beiden gingen mit der Kasse durch.

SIR THOMAS Woher stammt die Nachricht?

OBERST Aus der üblichen Quelle. Von Gewerkschaftssekretär Beuß.

SIR THOMAS Saint-Claude wird bei seinem Freunde stekken. Bei einer Rückkehr besucht man zuerst die alten Bekannten.

OBERST Leider fehlt auch von Paule Kellermann jede Spur. Wir wissen überhaupt nicht, was aus ihm geworden ist.

SIR THOMAS Und nun wollen Sie wohl die Genehmigung zu einer Razzia, wie?

OBERST Jawohl, Herr Minister.

SIR THOMAS Das könnte euch so passen. Nein, mein Lieber. Wir wollen mal sehen, was der zurückgekehrte Vogel anzustellen wünscht. Das ist viel interessanter. Auffressen können wir ihn dann immer noch. Da. Nehmen Sie Ihr Dokument wieder mit. Danke für die Nachricht, Oberst. Sie können gehen.

Der Oberst grüßt und geht mit seiner Mappe. Sir Thomas geht wieder zur Schlafzimmertüre. Ein Glas Kognak in der Hand.

*70   Blick von der Türe ins Schlafzimmer. Auf dem Bett
sitzt Anastasia in Büstenhalter und Höschen und zieht
sich einen Strumpf an.*

ANASTASIA Ich muß nach Hause, Liebling. Mein Mann
   darf nicht mißtrauisch werden. – Sorgen?
SIR THOMAS Ich wittere eine Chance. Was ich jetzt brauche, ist ein Narr, der mir eine Revolution anzettelt,
   dann wird das Land nämlich mich brauchen. Und ich
   glaube, dieser Narr ist auch schon gefunden.
ANASTASIA Du denkst an nichts als an deine Macht.

*Sie zieht sich an, er liegt auf dem Bett, raucht eine
Zigarette.*

SIR THOMAS Die einzige passende Beschäftigung für einen
   Menschen von so grenzenloser Faulheit wie ich.
ANASTASIA Und an mich denkst du überhaupt nicht.
SIR THOMAS Du bist nicht meine Passion, du bist mein
   Hobby.

Sie drückt sich vor dem Spiegel ihren Hut ins Gesicht.

SIR THOMAS So, jetzt hast du dich wieder in den Engel der
   Gefängnisse zurückverwandelt.

*71   Das Haus Mississippis. Anastasia kommt in ihrem
Volkswagen.*

KOMMENTAR Kehren wir vom Paradies in die Hölle
   zurück. Im Volkswagen.

72   Kaminzimmer. An den Wänden Stiche. Mississippi

*steht am Kamin und untersucht mit einer Lupe einen
alten Stich. Anastasia kommt.*

MISSISSIPPI Du kommst spät, meine Liebe.

ANASTASIA Ich war noch im Frauenzuchthaus Sankt Johannsen.

*Er legt den alten Stich weg, reicht ihr den Arm. Sie gehen
durch das Stichkabinett ins Speisezimmer hinüber.*

MISSISSIPPI Der Justizminister Sir Thomas war heute bei
mir.

ANASTASIA Warum sprichst du auf einmal so förmlich von
deinem besten Freund?

MISSISSIPPI Ich habe ihm ein Ultimatum gestellt.

73 *Speisezimmer. Über dem langen Eßtisch die Bilder
von Madeleine und François. Der Tisch ist gedeckt. Mississippi und Anastasia sitzen sich gegenüber, zwischen
ihnen der lange Tisch. Mississippi erhebt sein Glas.*

KOMMENTAR Das Zeremoniell der Hölle ist gleichförmig.
Man grüßt diejenigen, die's schon überstanden
haben ...

MISSISSIPPI Dem Andenken meiner Gattin Madeleine.

ANASTASIA Dem Andenken meines Gatten François.

KOMMENTAR ... trinkt auf ihr Wohl – grüßt sie noch
einmal, schaut sich betroffen an – und wünscht ...

MISSISSIPPI Mahlzeit.

ANASTASIA Mahlzeit.

MISSISSIPPI Ich muß nun aufs Ganze gehen. Entweder
siege ich morgen oder werde mit der Regierung wegge-
fegt. *Er löffelt die Suppe aus.*

ANASTASIA *verwundert* Willst du denn wirklich das Gesetz Mosis wiedereinführen?

MISSISSIPPI Natürlich.

ANASTASIA Aber, Florestan – dann müßtest du ja zum Beispiel auch Ehebrecher mit dem Tode bestrafen!

MISSISSIPPI Habe ich ja schon getan, meine Liebe. Ich habe doch Madeleine nur vergiftet, weil ich heutzutage nicht die Macht besitze, Ehebruch mit dem Tode zu bestrafen. Du magst keine Kartoffelpuffer?

ANASTASIA *erhebt sich* Du mußt mich entschuldigen, Florestan. Ich bin todmüde. Das Frauenzuchthaus Sankt Johannsen strapaziert mich immer gewaltig.

74　*Halle. Anastasia verabschiedet sich von Mississippi.*

KOMMENTAR Das Schlimmste in der Hölle sind jedoch die korrekten Manieren. Man gibt sich jeden Abend die Hand – verabschiedet sich jeden Abend voneinander – bewahrt jeden Abend Haltung – und geht jeden Abend allein in sein Zimmer.

75　*Anastasia geht die Treppe zu ihrem Schlafzimmer hoch.*

76　*Mississippi geht in sein Zimmer.*

77　*Anastasia vor ihrer Schlafzimmertüre. Sie streift die Schuhe ab und stellt sie vor die Türe, dann öffnet sie.*

78　*Schlafzimmer Anastasias. Sie geht zum Toilettentisch, setzt sich, öffnet müde ihr Kleid, erblickt plötzlich im Spiegel, daß ein Mann auf ihrem Bette liegt, in einer*

Lederjacke, wendet sich entsetzt um. Der Mann schläft.
Sie geht zur Türe. Bleibt dann aber stehen, betrachtet den
Mann.

ANASTASIA Wer sind Sie? Ein Gangster?

Der Mann öffnet langsam die Augen.

SAINT-CLAUDE Schlimmer. Ein Politiker. Freund deines
Mannes.

ANASTASIA Ich habe Sie noch nie gesehen.

SAINT-CLAUDE War im Ausland.

ANASTASIA Wie sind Sie hier hereingekommen?

SAINT-CLAUDE Durch 'ne Tür.

ANASTASIA Machen Sie, daß Sie hinauskommen.

SAINT-CLAUDE Warum? Soll ich deinem Mann eine
Geschichte über den Justizminister und seine schöne
Geliebte erzählen?

ANASTASIA Sie wissen?

SAINT-CLAUDE Alles.

ANASTASIA Sie wollen mich erpressen?

SAINT-CLAUDE Mit dir schlafen.

ANASTASIA *betrachtet ihn* Werden Sie dann nie wieder
kommen?

SAINT-CLAUDE Nie wieder! Ehrenwort. – Zufrieden?

ANASTASIA Zufrieden.

79 *Die Schlafzimmertüre von außen.*

80 *Morgen. Vor Mississippis Haus. Mississippi erscheint.*
Mit Mappe und Regenschirm. Er steigt in seinen Wagen,
einen großen Rolls-Royce.

81   *Im Wagen.*

MISSISSIPPI In den Justizpalast, Rougemont.

Der Wagen fährt los. Am Steuer Saint-Claude.

82   *Am Wagenfenster jagen öde Vorstadtstraßen, Bau-
stellen und Felder vorbei. Mississippi steckt sich eine
Zigarre in Brand. Stutzt.*

MISSISSIPPI Zum Donnerwetter, wo fahren Sie mich denn
   hin, Rougemont?

Saint-Claude wendet sich um, eine Hand am Steuer.

SAINT-CLAUDE Paule, bist du so fein geworden, daß du
   nicht einmal mehr deinen Chauffeur kennst?
MISSISSIPPI *schreit* Louis!

83   *Das Auto hält mit kreischenden Bremsen neben
einem alten Schuppen.*

SAINT-CLAUDE Komm heraus!

*Mississippi steigt aus, schaut sich um. Ein Industriege-
lände. Kohlenberge, Kanäle, Schienen. Saint-Claude
betrachtet Mississippi lächelnd, und auch der Generalstaatsanwalt betrachtet seinen alten Freund einen Augenblick lang nicht ungerührt.*

MISSISSIPPI Louis.
SAINT-CLAUDE Na, Paule?

MISSISSIPPI Wir hatten geschworen, uns nie wiederzu-
sehen.

SAINT-CLAUDE Gewiß.

MISSISSIPPI Du hast dein Wort gebrochen.

SAINT-CLAUDE Aus Prinzip. Gehen wir etwas herum.

MISSISSIPPI Fürchtest du Zeugen?

SAINT-CLAUDE Immer.

Sie gehen durch das Gelände.

MISSISSIPPI Und wie nennst du dich jetzt?

SAINT-CLAUDE Noch schöner als du. Frédéric René Saint-
Claude.

MISSISSIPPI Du bist natürlich illegal über die Grenze gekommen.

SAINT-CLAUDE Wie sonst?

MISSISSIPPI Und was willst du von mir?

SAINT-CLAUDE Ich habe den Auftrag, die kommunistische
Partei dieses Landes neu zu organisieren. Sie braucht
endlich einen Kopf. Dazu habe ich dich ausersehen.

MISSISSIPPI Das ist ein sehr merkwürdiger Vorschlag.

SAINT-CLAUDE Es gibt keine bessere Empfehlung für
einen solchen Posten, als dreihundertfünfzig Todesurteile durchgesetzt zu haben.

MISSISSIPPI Und wenn ich ablehne?

Sie gehen an schwarzen Kohlenhaufen vorbei.

SAINT-CLAUDE Du hast vergessen, daß ich zurückgekommen bin.

MISSISSIPPI Hyäne.

SAINT-CLAUDE Es freut mich, daß du wieder die Sprache

findest, die wir einst in unserem famosen Hotel Aurora geführt haben. – Es war eine schöne Zeit.

MISSISSIPPI Es war unsere schönste Zeit.

SAINT-CLAUDE Wir waren jung – in unserer Kälte. Wir hatten ein Ziel. Wir wollten die Welt ändern. Du lasest die Bibel und ich Karl Marx. Du träumtest davon, das Gesetz Mosis einzuführen – und ich, die Weltrevolution auszurufen.

MISSISSIPPI Ich bin meinem Ziele treu geblieben, Louis.

SAINT-CLAUDE Und ich dem meinen, Paule.

Sie gehen zwischen verrosteten Geleisen.

MISSISSIPPI Und nun bist du gekommen, mich zu erpressen?

SAINT-CLAUDE Vielleicht, um dich zu retten.

MISSISSIPPI Was willst du damit sagen?

SAINT-CLAUDE Du hast der Regierung ein Ultimatum gestellt.

MISSISSIPPI Ich sehe, du bist informiert.

SAINT-CLAUDE Ich habe den Informationsminister bestochen.

Sie stehen an einem Kanal.

SAINT-CLAUDE Wir führen beide einen einsamen Kampf, Paule. Die Welt ist unsittlich geworden. Die einen fürchten für ihre Geschäfte – die andern für ihre Macht. Hier ist das Christentum eine Farce geworden und im Osten der Kommunismus – beide Teile haben sich selbst verraten, die Weltlage ist für einen richtigen Revolutionär geradezu ideal.

MISSISSIPPI Diese Lehre wagst du natürlich nicht öffentlich zu verkünden.

SAINT-CLAUDE Ich habe nicht Selbstmord zu begehen, ich habe die Weltrevolution durchzuführen. Zuerst muß der Westen durch den Osten liquidiert werden, und dann der Osten durch den kommunistisch gewordenen Westen.

Sie frieren im kalten Wind.

MISSISSIPPI Du träumst.

SAINT-CLAUDE Ich rechne.

MISSISSIPPI Dein Kampf ist nicht der meine, Louis.

SAINT-CLAUDE Schade. – Dein Chauffeur wartet.

Neben Mississippis Wagen steht Rougemont.

MISSISSIPPI Lebe wohl, Louis.

SAINT-CLAUDE Lebe wohl – mein Freund Paule.

Mississippi geht zum Wagen, Rougemont verbeugt sich etwas übertrieben, er steigt ein, der Wagen fährt davon, Saint-Claude schaut ihm nach, geht dann in den Schuppen.

KOMMENTAR Die beiden Jugendfreunde hatten sich wiedergefunden – als Todfeinde. Mississippi ließ sich nicht täuschen. Sein neuer Gegner beherrschte die Lage und hatte unser schönes Europa-City schon längst unterhöhlt – das bewies der ungetreue Chauffeur Rougemont.

84   *Saint-Claude betritt das Innere des Schuppens. Auf*

Kisten, von denen einige geöffnet sind und Maschinenpistolen und Handgranaten enthalten, sitzen drei Männer in durchwegs eleganter Kleidung. Zwei Riesen und ein kleiner schmächtiger. Van Bosch, Santamaria und McGoy.

MCGOY Angenommen?

SAINT-CLAUDE Abgelehnt. Informiert die Presse über Mississippis Vergangenheit.

VAN BOSCH Okay.

SANTAMARIA Prima.

William Schlender, Sekretär Beuß und Senator King kommen in eleganten Mänteln in den Schuppen. Der schäbige, waffenbespickte Raum schimmert auf einmal vor Eleganz. Unter den Mänteln glänzen Gesellschaftsanzüge, Orden.

SAINT-CLAUDE Herr Schlender –

SCHLENDER Meine Herren, darf ich vorstellen: Sekretär Beuß von den Gewerkschaften, Senator King, mein politischer Berater.

Verbeugungen.

SAINT-CLAUDE Mein Aktionskomitee: Genosse McGoy, Genosse Van Bosch, Genosse Santamaria.

Verbeugungen.

SCHLENDER Donnerwetter, Sie sind gleich mit den bekanntesten Spezialisten angerückt, Saint-Claude.

SAINT-CLAUDE Durch den Internationalen Pädagogen-kongreß eingeschmuggelt. Wir haben ganze Arbeit zu leisten.

BEUSS Der Generalstreik wird heute nachmittag ausge-rufen.

SAINT-CLAUDE Die Revolution bricht morgen los.

SCHLENDER Abgemacht.

SAINT-CLAUDE Dafür verlangen wir für unsere Partei das Innenministerium.

SCHLENDER In Ordnung.

MCGOY Und das Justizministerium.

SCHLENDER Das kommt überhaupt nicht in Frage. Dazu ist Ihre Partei im Parlament zu ungenügend vertreten, Saint-Claude.

VAN BOSCH Dann gibt's eben keine Revolution.

SCHLENDER Ich protestiere feierlich im Namen der Arbei-terschaft.

SAINT-CLAUDE Wenn wir keine Revolution machen, ist Ihre Chance, doch noch einmal Ministerpräsident zu werden, endgültig dahin, mein lieber Schlender.

SCHLENDER Gut, gut, gut,. Ihr kriegt auch das Justizmi-nisterium.

SAINT-CLAUDE Na sehn Sie. Dann können wir unsere Aktion auch starten.

Verbeugungen.

SCHLENDER Meine Herren. Wir gehen nun zum Empfang beim Nuntius. So kann kein Verdacht aufkommen.

Die drei Herren der Opposition ab.

MCGOY Und wir müssen in unseren blöden Kongreß zurück.

Sie stecken sich ihre Kongreßabzeichen an.

VAN BOSCH Was gibt's denn heute für einen Vortrag?
SANTAMARIA Neue pädagogische Methoden für Schwererziehbare.

85 *Sitzungszimmer des Ministerrats. Er ist vollständig versammelt.*

SIR THOMAS Meine Herren, der Generalstaatsanwalt verlangt Antwort auf seine Forderung.
FINANZMINISTER Eine glatte Erpressung.
MINISTERPRÄSIDENT Wenn wir nur wüßten, was zu tun ist.
FINANZMINISTER Das einzig Vernünftige.
MINISTERPRÄSIDENT Aber was ist das einzig Vernünftige?
INNENMINISTER Wir legen dem Parlament das Gesetz Mosis vor.
AUSSENMINISTER Sind Sie wahnsinnig?
KRIEGSMINISTER Wir zeigen einfach Mut und lassen die Enthüllungen über gewisse Korruptionsfälle stoisch über uns ergehen.
INNENMINISTER Sind Sie verrückt?
AUSSENMINISTER Wenn wir Mut zeigen, sind wir gleich erledigt.
FINANZMINISTER Also doch das Gesetz Mosis.
MINISTERPRÄSIDENT Das bringen wir beim Parlament einfach nicht durch. Sonst haben wir alles durchgebracht. Die Aufrüstung, die Atombewaffnung, aber das

Gesetz Mosis – nein. Da können wir Gift darauf nehmen.

INFORMATIONSMINISTER Es bleibt uns wohl auch nichts anderes übrig.

MINISTERPRÄSIDENT Es gibt nur eine Lösung: abdanken. Gestürzt werden wir so oder so. Auf diese Weise ersparen wir dem Lande eine gefährliche Krise.

Schweigen. Der Ministerpräsident erhebt sich.

MINISTERPRÄSIDENT Ich schiffe mich noch heute nach Argentinien ein.

Die anderen Herren erheben sich ebenfalls, nur Sir Thomas bleibt sitzen.

SIR THOMAS Meine Herren, ich werde den Generalstaatsanwalt über Ihren Entschluß unterrichten und das Parlament auf morgen einberufen.

Die Herren entfernen sich, zuletzt der Informationsminister.

SIR THOMAS Herr Informationsminister.
INFORMATIONSMINISTER Sir Thomas?
SIR THOMAS Ich denke, Sie ziehen sich am besten gleich nach Moskau zurück.

Informationsminister ab. Der Oberst kommt.

SIR THOMAS Wann wird der Generalstreik ausgerufen, Oberst?

OBERST Heute nachmittag, Herr Minister.

SIR THOMAS Und die Revolution?

OBERST Morgen, Herr Minister. Saint-Claude leitet sie.

SIR THOMAS Und der gute Schlender will dann als Retter der Ordnung auftreten?

OBERST Jawohl, Herr Minister.

SIR THOMAS Um selbst Ministerpräsident zu werden?

OBERST Jawohl, Herr Minister.

SIR THOMAS Führen Sie jetzt den Generalstaatsanwalt herein.

Der Oberst öffnet eine Türe. Mississippi erscheint, schaut sich verwundert um.

OBERST Herr Generalstaatsanwalt –

MISSISSIPPI Du bist allein?

SIR THOMAS Mein lieber Florestan. Die Regierung ist soeben freiwillig zurückgetreten.

MISSISSIPPI Ach.

SIR THOMAS Ich bin selber bestürzt.

MISSISSIPPI Ich verstehe.

SIR THOMAS Pech.

MISSISSIPPI Nun kann ich sie auch nicht mehr zwingen, das Gesetz Mosis einzuführen.

SIR THOMAS Leider. Willst du dich nicht setzen?

Mississippi bleibt stehen.

SIR THOMAS Nur eine Regierung ist gesetzlich in der Lage, dem Parlament ein Gesetz vorzulegen.

MISSISSIPPI Ich bitte um meine Entlassung.

SIR THOMAS Du kannst mich jetzt unmöglich im Stich

lassen, mein lieber Florestan. Unsere Differenzen dürfen jetzt keine Rolle spielen. Wir müssen ausharren,
bis der neue Ministerpräsident durch das Parlament
gewählt ist.

86 *Ankunft eines alten verrosteten Öltankers in einem
Hafen.*

KOMMENTAR Der Hafen von Europa-City. Wir geben
eine Totale. Leider sind wir etwas zu spät, um der
Einfahrt des ältesten Petroleumdampfers der Borneo-
Linie beiwohnen zu können. Schade. Es war sehr
eindrucksvoll. Das Schiff ging wenige Meter vor dem
Pier doch noch unter.

87 *Vom Zoll her kommt der eben angekommene Übelohe eine Treppe herauf. Zerlumpt. Unrasiert, Brille,
unter dem Arm ein Bündel, aber bewegt sich würdig.*

KOMMENTAR Dafür sehen wir gleich den einzigen Passa-
gier des Dampfers. Glücklich gerettet. Er kommt total
heruntergekommen die Treppe herauf. Es handelt sich
um den ruinierten Chefarzt eines abgebrannten
Urwaldspitals in Tampang. Ich weiß nicht, ob Sie das
traurige Nest kennen. Das Spital befand sich gleich
links von der Methodistenkirche.

88 *Der Ministerpräsident und seine Gattin, im Begriff
abzureisen. Sie gehen über den Quai, die Gattin im
Pelzmantel mit einem zweiten Pelzmantel über dem
Arm. Der Präsident trägt ein Schmuckköfferchen. Foto-
grafen, martialische Polizisten in Uniformen.*

KOMMENTAR Von rechts dagegen kommt unser zurückge-
tretener Ministerpräsident, um sich nach Argentinien
abzusetzen.

89   *Übelohe begegnet dem Ministerpräsidenten und seiner Gattin. Stutzt. Tritt dann an den Ministerpräsidenten
heran.*

ÜBELOHE Mein lieber Herr Ministerpräsident –

*Der Ministerpräsident erblickt erschrocken den herunter-
gekommenen Vagabunden.*

MINISTERPRÄSIDENT Man will mich ermorden!
POLIZIST Eine Bombe!
ANDERER POLIZIST In Deckung!

*Die Polizisten reißen den Ministerpräsidenten und dessen
Gattin auf den Boden. Alles liegt um den verwirrten
Übelohe auf dem Quai in Deckung.*

ÜBELOHE Aber – *Er läßt sein Bündel fallen.*
POLIZIST Sie explodiert!

*Vor Übelohe liegen in einer alten Zeitung ein Pullover
und einige Fotos, die Anastasia darstellen. Die anderen
sind wieder in Deckung gegangen. Wie sie sehen, daß von
einer Bombe gar nicht die Rede sein kann, erheben sie sich
ärgerlich.*

KOMMENTAR Die Begegnung verlief stürmisch. Man
glaubte, er trage eine Bombe bei sich. Er ließ nur seine

letzte Habe fallen, die Bilder seiner Geliebten. Ungeschickt. Ministerpräsidenten grüßt man am besten im
Cutaway, sonst vermuten sie Attentäter.

MINISTERPRÄSIDENT Verhaften Sie den Kerl!

Er geht mit Gattin und Gefolge wütend dem Zoll zu.

90 *Die martialischen Polizisten haben Übelohe auf die
Seite genommen.*

ERSTER POLIZIST Was willste vom Ministerpräsidenten?
ÜBELOHE Der Vorfall ist mir unerklärlich. Ich wollte ihn
doch nur grüßen. Er ist ein Freund meiner Familie.
ZWEITER POLIZIST So. Deiner Familie.
DRITTER POLIZIST Was treibst du dich hier herum?
ERSTER POLIZIST Paß!
ÜBELOHE Bitte.

Der Polizist durchblättert den Paß.

ERSTER POLIZIST Graf Bodo von Übelohe-Zabernsee.
ÜBELOHE Ich bin der letzte meiner Familie, mein Herr.
ZWEITER POLIZIST Kannst dein Zeug wieder zusammenle-
sen, Herr Graf.
ERSTER POLIZIST Und dann hau gefälligst ab.
KOMMENTAR Dies war die etwas mißglückte Ankunft des
Grafen. Er schickte sich an, seine Geliebte zu suchen
und machte sich deshalb auf den Weg.

91 *In einem Autobus sitzt Übelohe neben einer dicken
Dame, deren Schoßhündchen ihn ständig anbellt. Der
Autobus hält.*

CHAUFFEUR Zentralfriedhof. Alles aussteigen. Streik der
  Städtischen Verkehrsmittel!

*92 Übelohe sucht auf dem Zentralfriedhof Anastasias
Grab.*

*93 Friedhofskanzlei. Ein alter Kanzlist sucht in einem
dicken Buche nach. Vor ihm Übelohe.*

KANZLIST Nee. Eine Anastasia Friedemann ist hier nicht
  begraben.
ÜBELOHE Es ist mir unerklärlich. Sie muß hier begraben
  sein.
KANZLIST Sind Sie sicher, daß die Dame hingerichtet wor-
  den ist?
ÜBELOHE Ich kann es mir nicht anders vorstellen.
KANZLIST Vielleicht sitzt die Dame nur lebenslänglich.
ÜBELOHE *schaut freudig auf* Oh – das wäre ja wunderbar.
  Dann könnte ich sie noch einmal sehen.
KANZLIST Ich würde mal an Ihrer Stelle zur Gefängnisfür-
  sorge gehn. Aber nun Schluß. Generalstreik.
ÜBELOHE Danke.

*Der Kanzlist schließt den Schalter. Daran hängt er eine
Tafel: ›Leichen werden bis auf weiteres nicht mehr ent-
gegengenommen.‹*

*94 Platz. Viele Autos. Übelohe gerät beinahe unter
einen Lastwagen mit Arbeitern, die Transparente ausge-
spannt haben: ›Tod dem dreihundertfünfzigfachen Massenmörder Mississippi.‹*

95 Kanzlei. Eine Familie wartet, vorgelassen zu wer-

den. *Alle Männer bärtig, außerdem in Lederhosen, auch die Knaben. Die Frauen in entsprechenden Trachten. Urgroßväter, Urgroßmütter, Großväter usw. Eine riesige Sippe. Hinter einem Schreibtisch eine Kanzlistin mit Brille.*

ÜBELOHE Ich möchte dringend zur Gefängnisfürsorgerin.

KANZLISTIN Sie müssen warten. Diese Familie ist aus Oberammergau hergefahren.

ÜBELOHE Ich kann nicht mehr warten. Ich komme aus Borneo. *Er geht zur Gefängnisfürsorgerin hinein.*

KANZLISTIN Hallo! – Sie!

96 *Büro Anastasias. Anastasia hinter dem Schreibtisch.*

ANASTASIA Können Sie nicht warten? Die Familie aus Oberammergau ...

ÜBELOHE Ich komme aus Borneo. Mit einem alten Petroleumdampfer.

ANASTASIA *erstarrt* Aus – Borneo?

ÜBELOHE Ich bitte Sie, meinen lädierten Anzug zu entschuldigen. Mein Name –

ANASTASIA *schreit auf* Bodo!

Übelohe erkennt sie endlich.

ÜBELOHE Anastasia!

Sie starren sich an.

ÜBELOHE Meine Geliebte – *Er fährt sich über die Stirne.*

ÜBELOHE Du bist frei?

ANASTASIA Ich bin frei.

ÜBELOHE Begnadigt?

ANASTASIA Ich war nicht im Gefängnis.

Übelohe setzt sich verwirrt.

ÜBELOHE Aber der Generalstaatsanwalt hat mir doch persönlich damit gedroht.

ANASTASIA Er hat mich geheiratet.

ÜBELOHE Anastasia. Ich bin gesundheitlich nicht mehr
auf der Höhe. Ich habe sämtliche Tropenkrankheiten
durchmachen müssen. Durch die Cholera ist mein
Gedächtnis – und durch die Malaria mein Orientierungssinn getrübt. Ich kann mich täuschen. Darum
sage mir offen und ehrlich – ist das alles ein entsetzlicher Irrtum eines kranken Gehirns – oder sprichst du
wirklich die Wahrheit?

ANASTASIA Ich bin die Frau des Generalstaatsanwalts
Mississippi.

Übelohe starrt sie fassungslos an.

97 *Übelohe verläßt das Gebäude der Gefangenenfürsorge.*

KOMMENTAR Der Graf verstand die Welt nicht mehr. Die
Frau, deren Verbrechen ihn in die Tropen getrieben
und für die er gebüßt hatte, lebte unter besten sozialen
Verhältnissen, vom Gesetz unangefochten in der
gemäßigten Zone weiter.

98 *Kaminzimmer im Hause Mississippis. Der General-*

staatsanwalt sitzt mit verbundenem Kopf in einem Lehn-
stuhl. In den Händen das Extrablatt. Anastasia tritt ein.

KOMMENTAR Doch sollte der Tag auch für Anastasia noch
  eine andere böse Überraschung bringen. Saint-Claude
  hatte zugeschlagen.

ANASTASIA Florestan!

MISSISSIPPI Nenn mich ruhig Paule, die ganze Welt weiß,
  wie ich heiße. – Nur ein Stein. Von einem Studenten
  geschleudert, als ich aus dem Wagen stieg. Du hast das
  gelesen? – das Extrablatt spricht die Wahrheit. Du
  hieltest mich für den Sohn eines amerikanischen Kanonenkönigs und einer italienischen Prinzessin. Ich bin
  es nicht. Ich bin der Sohn einer Straßendirne, deren
  Namen ich ebensowenig kenne wie den meines Vaters.

ANASTASIA Je geringer die Herkunft, desto größer die
  Sendung.

MISSISSIPPI Du verachtest mich nicht?

ANASTASIA Ich habe in der Gefangenenfürsorge so viel
  Schweres erlebt, daß ich dich verstehe.

MISSISSIPPI Anastasia.

ANASTASIA Paule.

MISSISSIPPI Meine Anstrengungen, das Gesetz Mosis einzuführen, sind krachend zusammengebrochen. Sobald
  meine Demission angenommen ist, werde ich unsere
  Giftmorde gestehen. In deinem und meinem Namen. –
  Gehen wir zu Bett. Wir haben Ruhe nötig.

99 *Halle. Anastasia verabschiedet sich von Mississippi.*

100 *Anastasia geht die Treppe hinauf.*

101   *Mississippi geht auf sein Zimmer.*

102   *Anastasia vor ihrer Schlafzimmertüre. Streift die
Schuhe von den Füßen.*

103   *Sie betritt das Schlafzimmer. Starrt fassungslos ins
Zimmer.*

104   *Saint-Claude hat über das Bett einen Stadtplan
gebreitet und studiert ihn. Van Bosch schließt hinter ihr
die Türe. Santamaria wühlt in ihrem Kleiderschrank,
betrachtet grunzend die seidenen Nachthemden, die
Unterwäsche. McGoy schreibt auf dem Toilettentisch, hat
die Parfum- und Eau-de-Cologne-Flaschen, die Crème-
töpfe und Puderdosen auf die Seite geschoben. Überall
liegen Maschinenpistolen und Handgranaten herum.*

SAINT-CLAUDE Hallo, Frau Generalstaatsanwalt.
ANASTASIA Du bist doch zurückgekommen.
SAINT-CLAUDE Ich habe meine Freunde gleich mitgebracht.
ANASTASIA Wer seid ihr?
SAINT-CLAUDE Setz dich.
SANTAMARIA Das Revolutionskomitee.

Sie bleibt stehen. Van Bosch wirft sie aufs Bett.

VAN BOSCH Dem Chef gehorcht man.
SAINT-CLAUDE Der Südbahnhof muß in die Luft.
MCGOY Wird der Generalstreik befolgt?
SAINT-CLAUDE Vollständig. Wir haben leichtes Spiel. Die-
    sen Staat blasen wir in die Luft.

Santamaria bläst.

SAINT-CLAUDE Gib mir mal einen Lippenstift her. Wir übernehmen auch das Innenministerium. Der gute Schlender wird sich wundern.

McGoy gibt ihm einen Lippenstift vom Toilettentisch. Saint-Claude zeichnet mit dem Lippenstift die Wege auf den Plan ein.

SAINT-CLAUDE Morgen früh punkt neun Uhr führst du Brigade eins aus der Zentralgarage gegen den Rundfunk, Van Bosch.

VAN BOSCH Okay. Zentralgarage.

SAINT-CLAUDE Und die Brigade zwei zum Nordbahnhof, Santamaria. Von der Unterführung bei der Bierbrauerei Uhland aus.

SANTAMARIA Prima.

SAINT-CLAUDE Um halb zehn saust McGoy ins Kasino, zu den rebellischen Offizieren.

MCGOY Sause.

SAINT-CLAUDE Und um zehn Uhr verhafte ich den Justizminister.

VAN BOSCH Begräbnis einer Demokratie.

Lukrezia kommt mit einem Gestell voller Flaschen.

LUKREZIA Bier bitte schön. *Stellt ab, geht wieder hinaus.*

SANTAMARIA Chef ...

ANASTASIA Lukrezia ist auch auf eurer Seite?

MCGOY Alte Genossin. *Er öffnet eine Flasche. Grinst.*

VAN BOSCH Na, Kleine? Wir haben unser Hauptquartier genial gewählt, findest du nicht?

Er grinst.

SANTAMARIA Und kein Mensch weiß, daß wir hier sind.
Er grinst.

SAINT-CLAUDE Wenn dein Freund, der Justizminister,
davon erführe, wär's um dich geschehen – meine Süße.

KOMMENTAR So hatten unsere drei Weltverbesserer
Anastasia in eine recht schwierige Lage gebracht. Der
eine erpreßte sie ...

105 *Schlafzimmer Mississippis. Spartanisch. Mississippi*
liegt im Bett, den Kopf verbunden. Mit Lesebrille. In der
Hand ein Buch. Vor dem Hause ziehen Studenten mit
Tafeln vorbei.

KOMMENTAR ... der andere wollte sie und sich selbst der
Justiz ausliefern aus Liebe zum Gesetz Mosis. Er liest
hier zum letztenmal in seiner Dissertation, die er noch
in Oxford geschrieben hatte. Als Politiker hatte er
jämmerlich versagt, das bewies der Schweigemarsch
der Studenten vor seinem Hause. Mississippi dachte
mit Rührung an seine Gattin. Er glaubte felsenfest an
ihre Treue. Eine Illusion ...

106 *Schenke. Am Tisch Betrunkene. Am Schanktisch*
Übelohe, auch betrunken, der den Wirt anödet.

KOMMENTAR ... die durch die unvermutete Rückkehr des
dritten plötzlich zusammenbrechen konnte. Der Graf
betrinkt sich hier gerade in einer üblen Bündnerstube
des Hafenviertels.

ÜBELOHE Ich bin ein alter Aristokrat, Herr Wirt. Der
letzte meiner Familie. Meine Vorfahren haben in Pavia
und Sempach gestritten.

WIRT Selbstverständlich.

ÜBELOHE Ich bin der einzige, der Anastasia mit ganzer Leidenschaft liebt.

WIRT Selbstverständlich.

ÜBELOHE Ich habe das Abenteuer der Liebe auf mich genommen, Herr Wirt. Ein erhabenes Unternehmen.

WIRT Selbstverständlich.

107 *Schlafzimmer Anastasias. Die vier Verschwörer trinken Bier, rauchen Zigarren. Anastasia kauert im Bett.*

SAINT-CLAUDE Wann verläßt dein Mann das Haus?

ANASTASIA Punkt acht.

SAINT-CLAUDE Ihr wartet, bis er aus dem Haus ist, dann erst geht es los.

VAN BOSCH Okay.

ANASTASIA Wirst du mir dankbar sein, wenn du gesiegt hast?

SAINT-CLAUDE Wenn du es schon bis zum Engel der Gefängnisse gebracht hast, kannst du auch zur roten Landesmutter avancieren.

108 *Morgen. Vor dem Hause Mississippis. Es hat sich schon eine protestierende Menge angesammelt. Die Haustüre öffnet sich, Mississippi erscheint, den Kopf verbunden. Rougemont fährt den Wagen vor.*

VOLK Mörder … Mörder …! *Gejohle* Nieder mit ihm! Mörder! Hurenbub! Puffwirt! Hoch, Paule!

MISSISSIPPI In den Justiz-Palast, Rougemont!

Der Wagen fährt davon.

109   Schlafzimmer Anastasias. Saint-Claude am Fenster wendet sich ins Zimmer zurück, in welchem sich Anastasia nicht mehr befindet.

SAINT-CLAUDE Er ist weggefahren. Santamaria und Van Bosch können abhauen.
MCGOY In die Zentralgarage.
VAN BOSCH Okay. *Er ergreift seine Maschinenpistole.*
SANTAMARIA Wo sind eigentlich die Handgranaten?
VAN BOSCH Im Bidet.

110   Inzwischen ist Übelohe aus der Menge aufgetaucht und zur Haustüre gegangen. Klingelt.

111   Polizeiwagen kommen angefahren, das Haus des Staatsanwalts wird mit einem Polizeikordon umgeben.

112   Unterdessen hat Lukrezia geöffnet.

LUKREZIA Mein Gott, der Herr Graf!

113   Halle. Von oben kommen Van Bosch und Santamaria mit Maschinenpistolen und Handgranaten herunter, wie unten Übelohe erscheint. Sie können sich noch blitzschnell verbergen. Unten geht Anastasia Übelohe entgegen.

ANASTASIA Bodo.
ÜBELOHE Eine Tasse Kaffee bitte. Ich bin todmüde. Die ganze Nacht hab ich nicht geschlafen.

Anastasia führt Bodo ins Kaminzimmer. Wie die Luft rein

ist, kommen Van Bosch und Santamaria mit ihren Maschinenpistolen wieder heruntergeschlichen. Van Bosch öffnet die Haustüre.

114 *Blick von der Haustüre auf den sich bildenden Polizeikordon.*

115 *Halle. Van Bosch schließt die Türe blitzschnell. Wischt sich den Angstschweiß aus dem Gesicht.*

VAN BOSCH Polente.

Die beiden eilen nach oben.

116 *Schlafzimmer Anastasias. Saint-Claude und McGoy über der auf dem Bett ausgebreiteten Karte der Stadt. Die Türe wird aufgerissen. Van Bosch und Santamaria erscheinen.*

VAN BOSCH Das Haus wird umzingelt.
SANTAMARIA Sabotage.
SAINT-CLAUDE Verflucht.

Alle stürzen ans Fenster.

MCGOY Eine doppelte Kette.
SAINT-CLAUDE Sofort angreifen. Sonst kommen wir hier nicht raus.

117 *Halle. Es klingelt. Lukrezia öffnet die Haustüre. Ein Polizeileutnant mit vier bewaffneten Polizisten erscheint.*

POLIZEILEUTNANT Melden Sie mich der gnädigen Frau.
LUKREZIA Bitte schön.

Die vier Polizisten verteilen sich in der Halle.

118   *Halle von oben gesehen. Saint-Claude und die drei Verschwörer. Sie wollen einen Ausbruch versuchen, ziehen sich aber sofort ins Schlafzimmer zurück, wie sie die Polizisten bemerken.*

119   *Schlafzimmer Anastasias.*

SAINT-CLAUDE Wenn wir im Haus schießen, ist alles verloren.
MCGOY Gefangen.
VAN BOSCH Wenn ich um neun nicht in der Zentralgarage bin –
SANTAMARIA Die Volksdemokratie kann wieder einmal zusammenpacken.
VAN BOSCH Die ganze Weltrevolution.
SAINT-CLAUDE Disziplin! Wir müssen eiskalt nachdenken – schon mit ganz anderen Situationen fertig geworden. Wenn ich da letzthin an den Kongo denke –
VAN BOSCH Da waren wir aber nicht in einem Damenschlafzimmer.
SAINT-CLAUDE Dafür kann ich doch nichts, ihr Schweine!

120   *Halle. Vor Anastasia steht der Polizeileutnant.*

POLIZEILEUTNANT Gnädige Frau. Polizeileutnant Brand. Auf Befehl des Justizministers mit einer Polizeiabteilung zu Ihrer persönlichen Bewachung abkommandiert.

ANASTASIA Ich danke Ihnen, Herr Polizeileutnant.

121 *Anastasia geht ins Kaminzimmer, schließt die Türe hinter sich. Schaut sich um. Beunruhigt, daß sie Bodo nicht erblickt.*

ANASTASIA Bodo!

122 *Anastasia findet Bodo im Raume mit Mississippis Stichen in einem alten Sessel schlafend.*

ANASTASIA Bodo!

Der Graf rührt sich nicht.

ANASTASIA Lukrezia! Lukrezia!

123 *Anastasia geht ins Speisezimmer. Klingelt. Lukrezia kommt aus der Küche.*

LUKREZIA Bitte schön.
ANASTASIA Sind die noch im Schlafzimmer?
LUKREZIA Ja, gnädige Frau.
ANASTASIA Dann zeig ihnen den Hinterausgang.
LUKREZIA Dort sind auch Polizisten.

Anastasia stampft auf den Boden.

ANASTASIA Ist denn überall Polizei?
LUKREZIA Ums ganze Haus herum.
ANASTASIA Dann bring wenigstens den Kaffee! Der Graf
  schläft mir ja dauernd ein.

LUKREZIA Bitte schön. Er ist schon fertig. *Sie geht wieder in die Küche.*

124 *Anastasia rüttelt Bodo wach.*

ANASTASIA Bodo! Du darfst jetzt nicht schlafen. Du mußt wach werden.

Bodo starrt sie an.

ÜBELOHE Verzeih, Anastasia. Die ganze Nacht –
ANASTASIA Ich weiß, Bodo. Die ganze Nacht bist du herumgeirrt.
ÜBELOHE Anastasia. Du liebst mich doch?
ANASTASIA Aber natürlich liebe ich dich doch.
ÜBELOHE Und nur mich liebst du?
ANASTASIA Nur dich.

Lukrezia geht mit dem Kaffee durch das Stichkabinett.

LUKREZIA Kaffee. Bitte schön. *Sie serviert den Kaffee im Kaminzimmer.*
ANASTASIA Komm, Bodo. Der Kaffee wird dir guttun. *Sie führt ihn ins Kaminzimmer hinüber.*

125 *Im Kaminzimmer. Vor dem Kamin Kaffeetisch.*

ÜBELOHE Ich verstehe einfach deine Ehe mit Mississippi nicht. Ein Staatsanwalt kann doch unmöglich eine Frau heiraten, von der er weiß, daß sie ihren Gatten vergiftete. *Er nimmt die Kaffeetasse in die Hand und rührt darin mit dem Löffel.*

ANASTASIA Bodo. Er heiratete mich, weil auch er seine Frau vergiftet hat.

ÜBELOHE Auch er?

ANASTASIA Mit dem Gift, das er bei dir konfisziert hatte.

ÜBELOHE Wie du im schwarzen Kaffee?

ANASTASIA Unsere Ehe soll die Sühne unserer Verbrechen sein.

Er stellt die Kaffeetasse zitternd auf den Tisch zurück.

ANASTASIA Ist dir nicht wohl?

ÜBELOHE Einen Kognak, bitte.

ANASTASIA Kaffee würde dir viel besser tun.

ÜBELOHE Du kannst doch unmöglich von mir verlangen, daß ich in diesem Hause noch Kaffee trinke!

126 *Schlafzimmer Anastasias.*

MCGOY Wir sind schließlich nicht auf die Idee gekommen, uns hier zu verstecken –

SANTAMARIA Seidene Nachthemden ...!

MCGOY Ich werde nervös. – Ich werde einfach nervös!

VAN BOSCH Himmelherrgottsakrament!

SAINT-CLAUDE Ruhe! Der geringste Lärm könnte uns verraten!

127 *Kaminzimmer. Am Kamin sitzen sich Anastasia und Übelohe gegenüber. Er trinkt. Eine Flasche hat er schon ausgetrunken, aus einer anderen schenkt er sich ein.*

ANASTASIA Du solltest nicht so viel trinken.

Er schweigt.

ANASTASIA Die ganze Nacht hast du doch schon getrunken.

ÜBELOHE Ich will aber trinken.

ANASTASIA Auch mein Leben ist eine Hölle. Siehst du denn nicht ein, daß ich in Gefahr bin?

ÜBELOHE *starrt sie an* In Gefahr?

ANASTASIA Mein Mann will unsere Giftmorde eingestehen.

ÜBELOHE Anastasia!

ANASTASIA Es gibt nur einen Ausweg, Bodo. Flieh mit mir. Irgendwohin. Fünf Jahre habe ich auf dich gewartet – nun bist du da.

Übelohe setzt sich in den anderen Lehnstuhl.

ÜBELOHE Wir können nicht fliehen, Anastasia. Ich habe mein ganzes Vermögen verloren!

ANASTASIA Bodo!

ÜBELOHE Die Tropen haben mich auch finanziell vollkommen ruiniert. Ich wollte den Menschen mit meinen sozialen Liebeswerken helfen und bin dabei zum Bettler geworden.

ANASTASIA Und mein Mann zwang mich, mein ganzes Vermögen der Gefängnisfürsorge zu vermachen!

ÜBELOHE Wir sind beide endgültig ruiniert.

ANASTASIA Wir sind verloren.

ÜBELOHE Wir sind nicht verloren, Anastasia. Wir müssen jetzt nur die Wahrheit sagen.

ANASTASIA Die Wahrheit?

ÜBELOHE Wir müssen deinem Manne vor allem gestehen, daß du meine Geliebte bist.

ANASTASIA Das willst du ihm sagen?

ÜBELOHE Du hast dich in der Nacht, bevor François starb, mir hingegeben.

ANASTASIA Du willst jetzt, fünf Jahre danach, vor meinen Mann treten, um ihm zu erklären, daß du von mir verführt worden bist?

ÜBELOHE Es gibt keinen andern Weg.

ANASTASIA Das ist doch lächerlich.

ÜBELOHE Alles, was ich unternehme, ist lächerlich. In meiner Jugend habe ich die Bücher über die großen Christen gelesen. Ich wollte wie sie werden. Ich kämpfte gegen die Armut, ich ging zu den Heiden, ich wurde zehnmal kränker als die Heiligen; aber was ich auch tat: immer schlug es ins Lächerliche um. Auch meine Liebe zu dir ist lächerlich geworden. Aber es ist unsere Liebe.

ANASTASIA Es ist doch wahnsinnig, ihm die Wahrheit zu sagen.

ÜBELOHE Willst du denn lügen? Immer wieder lügen? Unsere Liebe kann nur durch ein Wunder gerettet werden. Wir müssen die Wahrheit sagen, wenn dieses Wunder geschehen soll.

ANASTASIA Du glaubst an ein Wunder?

ÜBELOHE Wir werden frei sein. *Er zündet sich eine Zigarette an.* Ich gehe jetzt zu deinem Mann.

128 *Schlafzimmer Anastasias.*

Quer auf dem Bett liegend, versucht McGoy verzweifelt zu telefonieren.

MCGOY Kein Strom.

SAINT-CLAUDE Na klar.

MCGOY Ich begreife das nicht. Es muß doch Strom vorhanden sein.

SAINT-CLAUDE Du hast ja selbst gestern die Streikleitung angewiesen, den Strom für die Telefonzentralen zu unterbinden.

MCGOY Neun Uhr.

SANTAMARIA Jetzt sollte ich bei der Bierbrauerei Uhland sein.

129 *Die Unterführung bei der Bierbrauerei Uhland. Zwei Lastwagen mit bewaffneten Männern. Neben dem Chauffeur des vorderen Wagens sitzt ein Anführer.*

ANFÜHRER Wir warten und warten. Schon eine Stunde Verspätung.

CHAUFFEUR Sollen wir nicht am besten einfach losschlagen?

ANFÜHRER Unsinn. Disziplin muß sein. Ohne Disziplin geht jede Revolution flöten.

130 *Garage. In eleganten amerikanischen Wagen Bewaffnete.*

EINER Drei Stunden warten wir schon.

EIN ANDERER Wir können das Ganze abblasen.

131 *Sitzungszimmer des Ministerrats im Regierungsgebäude. Sir Thomas im Sessel des Ministerpräsidenten. Hinter ihm, stehend, der Oberst. Ein Diener öffnet eine Türe und läßt William Schlender, Gewerkschaftssekretär Beuß und Senator King eintreten.*

SIR THOMAS Herr William Schlender, wo bleibt die Revolution?

Die drei sehen sich verblüfft an.

SIR THOMAS Ich warte schon seit fünf Stunden darauf.

SCHLENDER *zögernd* Was wollen Sie damit sagen, Sir Thomas Jones?

SIR THOMAS Das wissen Sie ganz genau. Ich brauche Sie nur an einen Herrn namens Frédéric René Saint-Claude zu erinnern.

SCHLENDER Sie wissen?

SIR THOMAS Auch ich habe meine Spione.

SCHLENDER Ich protestiere nicht nur feierlich, sondern auch energisch.

SIR THOMAS Etwas anderes haben Sie nie getan. Ich rede hier nicht mit dem Kindskopf, der Sie sind, sondern mit dem Politiker, der Sie sein sollten. Wo bleibt die Revolution?

SCHLENDER Ich verbitte mir ...

SIR THOMAS Und ich verbitte mir Ihre politische Ahnungslosigkeit. Sie brauchen die Revolution, weil Sie auf den Sessel kommen wollen, auf dem ich in diesem Augenblick sitze, und ich brauche die Revolution, weil ich auf ihm sitzen bleiben will. Es ist der Sessel des Ministerpräsidenten, Herr Schlender. Also her mit der Revolution!

SCHLENDER Herr – Herr Justizminister ... *Er ist totenbleich geworden.*

SEKRETÄR BEUSS Es ist uns wirklich peinlich ...

KING Sie müssen begreifen ...

SCHLENDER Wir haben unser Revolutionskomitee verloren.

SIR THOMAS Saint-Claude?

KING Saint-Claude.

BEUSS Und seine Spezialisten.

SIR THOMAS Aber man kann doch ein Revolutionskomitee nicht einfach verlieren.

SCHLENDER Wir haben es aber verloren.

BEUSS Wenn man es vielleicht durch die Polizei suchen könnte, Herr Justizminister ...

SCHLENDER Ich bin in einer wahrhaft scheußlichen Lage.

SIR THOMAS Ich auch, mein lieber Schlender.

SCHLENDER Na was, was sollen wir nun tun?

SIR THOMAS Reden wir menschlich miteinander.

Er macht eine einladende Handbewegung. Schlender setzt sich ihm gegenüber, die beiden andern bleiben ehrfurchtsvoll stehen.

SCHLENDER Ja.

SIR THOMAS Herr William Schlender, wir sind erbitterte Feinde. Aber wir haben beide die Revolution nötig, wenn auch aus entgegengesetzten Gründen. Da die Revolution nicht stattfinden will, müssen wir sie eben gemeinsam machen.

Verblüffung.

BEUSS Wie sollen wir das verstehen?

SIR THOMAS Sie revolutionieren, ich trete als Retter des Vaterlandes auf, appelliere an das Gewissen der Nation. Sie folgen meinem Ruf, und wir bilden gemeinsam eine Koalitionsregierung – mit mir als Ministerpräsidenten und Ihnen als Vizeministerpräsidenten, Herr Schlender.

KING Wenn wir das Innen- und das Justizministerium erhalten.

SIR THOMAS Mehr als das Familienministerium kann ich Ihnen nicht anbieten. Hier eine Liste der Gebäude, die von den Gewerkschaften in die Luft gesprengt werden können; da sie auf Verlangen der Stadtplanung sowieso verschwinden müssen, ist das auch der billigste Weg.

BEUSS Aber das könnte doch Menschen kosten.

SIR THOMAS Ja wollen wir nun an die Macht oder nicht?

Schlender erhebt sich, Sir Thomas ebenfalls.

SCHLENDER Ich danke Ihnen, Sir Thomas Jones. Sie haben uns gegenüber wirklich außerordentlich fair gehandelt. Ich danke Ihnen im Namen der Arbeiterschaft, des Volkes und des Abendlandes, Herr Ministerpräsident.

SIR THOMAS Des christlichen Abendlandes, Herr Vizeministerpräsident.

Verbeugungen. Die Herren gehen hinaus. Sir Thomas zündet sich eine Zigarre an.

SIR THOMAS Oberst!

OBERST Herr Minister?

SIR THOMAS Jetzt können Sie die Steckbriefe gegen Saint-Claude und seine Spezialisten erlassen.

KOMMENTAR So wurden in letzter Minute Revolution, Vaterland und Börse gerettet. – *Explosion* – Das war das Residenztheater ...

132 *Zimmer des Generalstaatsanwalts. Zuerst der*

Moses, dann Mississippi hinter seinem Schreibtisch. Chat-
terley kommt.

CHATTERLEY Hier das Verzeichnis der angeordneten Ver-
haftungen, Herr Generalstaatsanwalt. *Er übergibt*
Mississippi das Verzeichnis.
MISSISSIPPI Ich gehe nun zum Minister, Chatterley.
CHATTERLEY Jawohl, Herr Generalstaatsanwalt.
MISSISSIPPI Ordnen Sie die Verhaftungen inzwischen an.
Sie werden auf alle Fälle genehmigt.
CHATTERLEY Warten wir besser noch, Herr General-
staatsanwalt.

133 *Sitzungszimmer des Ministerpräsidenten, wie vor-*
her, doch nun ohne Oberst. Sir Thomas noch auf dem
gleichen Sessel. Rauchend. Mississippi ist eingetreten.

SIR THOMAS Mein lieber Paule Kellermann.

Mississippi stutzt.

SIR THOMAS Du gestattest doch, daß ich dich mit deinem
wahren Namen anrede. Ich finde ihn weitaus gemütli-
cher.
MISSISSIPPI Das Verzeichnis der angeordneten Verhaftungen zur Genehmigung.
SIR THOMAS Drücken wir ein Auge zu.
MISSISSIPPI Du hast deine Meinung geändert?
SIR THOMAS Die Umstände haben sich geändert. Du hast
dich als ehemaliger Bordellportier entpuppt und ich
mich als zukünftiger Ministerpräsident.
MISSISSIPPI Dann kannst du mich also entlassen.

SIR THOMAS Du bist schon entlassen.

MISSISSIPPI In diesem Falle habe ich ein Geständnis abzulegen.

SIR THOMAS Schieß los.

MISSISSIPPI Ich habe meine erste Frau vergiftet – und meine zweite Frau ihren ersten Mann.

SIR THOMAS Na und?

MISSISSIPPI Na und? Was heißt hier na und?

SIR THOMAS Mein lieber Paule. Noch einige Schießereien, noch einige Bomben, und im Lande herrscht wieder Ruhe. Und nun willst du mit deinen Giftmorden angetanzt kommen? Daß ich einen Bordellportier zum Staatsanwalt machte, verzeiht man mir, der Beruf ist ja nicht unpopulär, doch einen Giftmischer würde man mir nie verzeihen. Als neuer Ministerpräsident muß ich schließlich eine gewisse sittliche Basis aufweisen, soll man mir aus der Hand fressen. Dein Gerechtigkeitsgefühl in allen Ehren, aber es stört. Es tut mir leid, mein Guter, aber ich kann dich im Interesse des Staates nicht verhaften lassen.

MISSISSIPPI Sir Thomas, ich werde mir mein Recht zu verschaffen wissen.

SIR THOMAS Werden sehn.

134 *Zimmer des Generalstaatsanwalts. Hinter dem Schreibtisch Chatterley. Mississippi ist eingetreten.*

MISSISSIPPI Chatterley ... *Er stutzt, wie er Chatterley hinter seinem Schreibtisch sieht.*

CHATTERLEY Herr Generalstaatsanwalt, bitte. Ich bin zu Ihrem Nachfolger ernannt worden.

MISSISSIPPI Das ging ja wie der Teufel.

CHATTERLEY Telefonisch. Durch Sir Thomas Jones persönlich. Was wünschen Sie, Paule Kellermann?

MISSISSIPPI Meine Verhaftung.

CHATTERLEY Es liegt nichts gegen Sie vor, Paule Kellermann.

MISSISSIPPI Ich habe meine erste Frau vergiftet und meine zweite Frau ihren ersten Mann.

CHATTERLEY Na und?

MISSISSIPPI Na und? Was heißt hier na und?

CHATTERLEY Mir längst bekannt, Paule Kellermann.

MISSISSIPPI Ihnen?

CHATTERLEY Ich bin schließlich Kriminalist. Sie gaben seinerzeit die Untersuchung gegen Ihre zweite Frau so abrupt auf, daß ich Verdacht gefaßt habe. Ich ließ den Rübenzuckerfabrikanten und Ihre erste Gattin exhumieren.

MISSISSIPPI Dann ist es Ihre heilige Pflicht, mich schleunigst zu verhaften.

CHATTERLEY Wenn etwas heilig ist, Paule Kellermann, so ist es die Stellung eines Generalstaatsanwalts. Sie darf unter keinen Umständen untergraben werden. Ein Prozeß gegen Sie, und ich muß in Zukunft Freisprüche en masse beantragen. Es tut mir leid, mein Lieber, ich kann Sie im Interesse der Justiz nicht verhaften lassen.

MISSISSIPPI *drohend* Sie werden den Skandal des Jahrhunderts erleben, Herr Generalstaatsanwalt!

CHATTERLEY Werden sehn.

135 *Treppe, die zum Justizpalast führt. Im Rolls-Royce Rougemont. Mississippi kommt herunter, hinter ihm Übelohe. Wie Mississippi den Rolls-Royce erreicht hat, spricht ihn Übelohe an.*

ÜBELOHE Herr Generalstaatsanwalt. Es ist meine Pflicht, Sie um die Hand Ihrer Gemahlin zu bitten.

MISSISSIPPI Wenden Sie sich an meinen Nachfolger. *Er will ins Auto steigen.* Rougemont, fahren wir nach Hause ... *Plötzlich realisiert er Übelohes Bitte.* Was haben Sie da eben gesagt?

ÜBELOHE Es ist meine Pflicht, Sie um die Hand Ihrer Gemahlin zu bitten.

MISSISSIPPI Steigen Sie ein.

Übelohe steigt in den Rolls-Royce.

MISSISSIPPI Darf ich um eine Erklärung bitten, Herr Graf?

ÜBELOHE Sie erinnern sich an mich?

MISSISSIPPI Genau. Nun?

ÜBELOHE Ich liebe Ihre Frau, Herr Generalstaatsanwalt.

MISSISSIPPI Mit welchem Recht?

ÜBELOHE Mit dem Recht des Liebhabers. Ich bin der Geliebte Ihrer Gattin. Ich habe geschworen, die Wahrheit zu sagen, und wenn die ganze Welt zusammenstürzen müßte.

Draußen Explosionen. Rougemont hält.

136 *Straße. Mississippi, Übelohe und Rougemont verlassen den Rolls-Royce, rennen über die Straße und werfen sich auf den Gehsteig der anderen Straßenseite. Der Rolls-Royce beginnt zu brennen. Maschinengewehrfeuer. Neue Explosionen. Mississippi und Übelohe liegen zusammen in Deckung.*

KOMMENTAR Die beiden sollten zu Fuß weiter müssen.

Der Rolls-Royce war direkt in die Revolution und auf eine Mine gerollt. Rougemont rettete sich als letzter. Doch seien wir menschlich; Revolutionen kennen wir vom Fernsehen her zur Genüge – geben wir gleich das Ende. Die Lautsprecherwagen der Regierung führten es herbei.

Ein großer Lautsprecherwagen kommt angerollt.

LAUTSPRECHER Sir Thomas Jones bildet Koalitionsregierung mit William Schlender! Sir Thomas Jones bildet Koalitionsregierung mit William Schlender! Sir Thomas Jones bildet Koalitionsregierung mit William Schlender!

KOMMENTAR Die Europa-Citier glaubten gesiegt zu haben. Sie fielen wie jedes Volk wieder einmal auf ihre Politiker herein und sich begeistert in die Arme.

Überall stürzen jubelnde Menschen hervor. Soldaten der Garde und Arbeiter umarmen sich. Mississippi und Übelohe setzen sich auf den Rand des Gehsteiges. Beide verdreckt, in zerrissenen Kleidern. Auf der andern Straßenseite ist der Rolls-Royce vollkommen zerstört und ausgebrannt.

MISSISSIPPI *ruhig* Bitte, Herr Graf. Meine Frau hätte demnach den Rübenzuckerfabrikanten aus Liebe zu Ihnen vergiftet?

ÜBELOHE *reinigt das Brillenglas, welches noch heil geblieben ist* Um mich zu heiraten.

MISSISSIPPI Ich werde Ihre Anklage unnachsichtig prüfen. Entweder bin ich ein ungeheuerlicher Narr, oder Sie

sind ein vollkommen vertrottelter Alkoholiker, Herr
Graf.

ÜBELOHE Ich bewundere Ihre Sachlichkeit, Herr Generalstaatsanwalt.

MISSISSIPPI Gehen wir zu meiner Frau.

137 *Inzwischen hat sich aber ein Zug gebildet aus*
Arbeitern, Soldaten der nationalen Garde und Passanten
usw. Sie schreien.

ANFÜHRER Es lebe William Schlender!

EIN ANDERER Jetzt wollen wir Mississippi hängen!

Der Zug kommt nun die Straße herauf, laut schreiend.
Einer der Demonstranten erblickt Mississippi und Übe-
lohe, die beide in zerrissenen Kleidern, verdreckt und
verrußt auf dem Gehsteigrand sitzen und daher nicht
erkennbar sind.

MANN He, ihr beiden! Mitmarschieren! Wir gehen zum
Hause Mississippis!

Übelohe und Mississippi gehen nun an der Spitze des
Zuges, schreiend, aus Angst, erkannt zu werden.

VOLK Mississippi an den Galgen! Mississippi an den
Galgen!

MANN Mitschreien, ihr beiden!

DIE BEIDEN Mississippi an den Galgen! Mississippi an den
Galgen ...

Sie marschieren in der ersten Reihe des schreienden
Triumphzuges auf das Haus Mississippis zu.

138   *Schlafzimmer Anastasias. Saint-Claude immer noch
auf dem Bett ausgestreckt. Van Bosch lehnt sich mit dem
Rücken an die Türe. Santamaria sitzt vor dem Kleiderschrank. McGoy steht am Fenster, späht hinaus. Das
Schlafzimmer ist überhaupt in einer unbeschreiblichen
Unordnung. Von der Straße dringt die Stimme des Laut-
sprecherwagens.*

LAUTSPRECHER Sir Thomas Jones bildet die Koalitions-
    regierung mit William Schlender!

SANTAMARIA Aus.

VAN BOSCH Wir haben die Partie verloren.

MCGOY Wir hätten Schlender nie trauen dürfen.

SAINT-CLAUDE Er wurde uns vom Außenministerium
    empfohlen. Die sind immer unzuverlässig mit ihren
    Informationen.

VAN BOSCH Die Zentrale wird lachen.

SANTAMARIA Und wie.

SAINT-CLAUDE Wir haben Pech gehabt.

SANTAMARIA Sicher.

MCGOY Aber einen Schuldigen wird man trotzdem unter
    uns vieren suchen.

SANTAMARIA Todsicher.

SAINT-CLAUDE Ach, ihr meint wohl mich?

VAN BOSCH Möglich.

SAINT-CLAUDE *erhebt sich langsam* Und nun wollt ihr
    mich verraten?

MCGOY Wir haben nur objektiv zu berichten.

SAINT-CLAUDE Und ihr stellt euch vor, daß ich nun mit
    euch in euren lausigen Osten zurücksegle?

VAN BOSCH Befehl ist Befehl.

MCGOY Wir haben alle vier zurückzukehren.

Saint-Claude ergreift blitzschnell seine Maschinenpistole.

SAINT-CLAUDE Nun hebt mal ganz gemütlich die Hände.

Die drei andern erheben die Hände.

VAN BOSCH Bist du verrückt?
SAINT-CLAUDE Kehrt euch gegen die Wand!

Die drei kehren sich gegen die Wand.

MCGOY Sei doch vernünftig.
VAN BOSCH Was nützen dir auch drei Leichen.
SANTAMARIA Das ist doch nur umständlich.
SAINT-CLAUDE McGoy.
MCGOY Saint-Claude?
SAINT-CLAUDE Ich will die Wahrheit wissen.
MCGOY Nun gut. Die Partei hat dich ausgeschlossen.
SAINT-CLAUDE Wann?
MCGOY Bevor wir in dieses Land kamen.
SAINT-CLAUDE Weshalb?
SANTAMARIA Du denkst zuviel, Genosse.

139 *Halle. Die vier Polizisten mit dem Polizeileutnant.*
Mississippi tritt mit Übelohe ein.

MISSISSIPPI Wo ist meine Frau?
POLIZEILEUTNANT Im Keller, Herr Generalstaatsanwalt.
  Wir befürchten, das Haus wird erstürmt.
MISSISSIPPI Kommen Sie bitte, Herr Graf.

140 *Kellergewölbe. An den Wänden Weinflaschen.*

Eingemachtes. Alte Autopneus usw. Anastasia sitzt auf einer Kiste, starrt angsterfüllt Mississippi entgegen, der mit Übelohe eintritt. Neben Anastasia Lukrezia, die an einem Babyjäckchen strickt.

MISSISSIPPI Anastasia. Unsere Ehe wurde im Namen des Gesetzes geschlossen. Im Namen der Gerechtigkeit. Sie ist sinnlos, wenn es mir nicht gelungen ist, dich zu ändern. Ich muß wissen, was du bist, ein Engel oder ein Teufel.

ANASTASIA Ich verstehe dich nicht.

MISSISSIPPI Graf Übelohe-Zabernsee hat eine Frage an dich zu richten.

ANASTASIA Eine Frage?

MISSISSIPPI Schwörst du, die Wahrheit zu sagen?

ANASTASIA Ich schwöre.

MISSISSIPPI Bei Gott?

ANASTASIA Ich schwöre bei Gott.

MISSISSIPPI *getrost* Fragen Sie nun meine Frau, Graf Bodo von Übelohe-Zabernsee.

ÜBELOHE Anastasia. Ich habe an dich nur eine Frage zu stellen.

ANASTASIA Frage.

ÜBELOHE Liebst du mich?

ANASTASIA Nein.

ÜBELOHE *erstarrt* Aber das kannst du doch nicht antworten, Anastasia.

ANASTASIA Ich liebe dich nicht.

ÜBELOHE Das ist nicht wahr.

ANASTASIA Ich habe bei Gott geschworen, die Wahrheit zu sagen.

ÜBELOHE Aber du bist doch meine Geliebte geworden.

ANASTASIA Du hast mich nie berührt.

ÜBELOHE Du hast doch François nur getötet, weil du mich heiraten wolltest.

ANASTASIA Ich habe ihn getötet, weil ich ihn liebte.

ÜBELOHE Erbarme dich doch! Sage die Wahrheit! Erbarme dich doch! *Er sinkt bei den Weinflaschen an der Wand zu Boden.*

ANASTASIA Ich habe die Wahrheit gesagt.

ÜBELOHE Tiere! Ihr seid Tiere!

141 *Vor dem Hause. Ein Sanitätswagen fährt in die Menge hinein, die immer schreit:* ›Mississippi an den Galgen‹. *Professor Haberkern und zwei Krankenhelfer steigen aus.*

142 *Kellerraum.*

MISSISSIPPI Gestehen Sie, daß Sie gelogen haben, Graf Übelohe-Zabernsee! Ich appelliere an den letzten Funken eines aristokratischen Ehrbegriffes, der noch irgendwo in Ihnen glimmen muß.

Professor Haberkern und zwei Krankenpfleger kommen.

PROF. HABERKERN Professor Haberkern von der Städtischen Nervenheilanstalt. Ich habe Sie zur Begutachtung in die Klinik zu überführen. Eine persönliche Anordnung des neuen Ministerpräsidenten.

MISSISSIPPI Herr Professor Haberkern. Ich gehöre nicht in ein Irrenhaus. Ich gehöre mit meiner Frau zusammen unter die Guillotine. Ich habe meine erste Frau vergiftet und meine zweite Frau ihren ersten Mann.

PROF. HABERKERN Vor allen Dingen brauchen Sie jetzt
absolute Ruhe, keine Aufregungen und viel Schlaf.

Die beiden Krankenpfleger packen Mississippi.

MISSISSIPPI Ich schwöre bei Gott, ich habe die Wahrheit
gesagt!
PROF. HABERKERN Führt den armen Kranken hinaus.

*Die Krankenpfleger führen Mississippi mit Gewalt aus
dem Kellergewölbe.*

MISSISSIPPI Ich habe meine erste Frau vergiftet – und
meine zweite Frau ihren ersten Mann ...!
PROF. HABERKERN Grämen Sie sich nicht über seine
Worte, gnädige Frau. Er ist in einem frappanten Sta-
dium der unsinnigsten Wahnvorstellungen. Wir kennen das. *Er küßt Anastasias Hand.*

143   *Vor dem Hause Mississippis. Die johlende Menschenmenge. Darin der weiße Sanitätswagen. Mississippi
wird gebracht. Er schreit.*

MISSISSIPPI Ich habe meine erste Frau vergiftet! Ich habe
meine erste Frau vergiftet und meine zweite Frau ihren
ersten Mann!

Riesiges Gelächter.

EIN MANN Komplett übergeschnappt!

*Mississippi wird in den Wagen getragen. Dann setzt sich
der Wagen in Fahrt. Die Menge ihm johlend nach.*

144 *Mississippis Haus von außen an der leeren Straße.*
Die Haustüre ist offen.

145 *Leere Halle. Anastasia taucht auf, dann Übelohe.*
Anastasia macht Licht. Schweigen.

ANASTASIA Du hast ihm die Wahrheit gesagt – und ich
   habe dich verraten.
ÜBELOHE Die Angst war größer als die Liebe.
ANASTASIA Immer ist die Angst größer.
ÜBELOHE Das Wunder ist geschehen.
ANASTASIA Wir sind frei.
ÜBELOHE Und doch getrennt.
ANASTASIA Auf ewig.

146 *Übelohe geht langsam durch die Halle und zur*
Türe hinaus. Schließt die Türe.

147 *Übelohe geht durch den Vorgarten.*

148 *Anastasias Schlafzimmer. Die drei gegen die Wand*
gekehrt. Ihre Gesichter naß vor Angstschweiß. Saint-
Claude mit der Maschinenpistole am Fenster. Die andern
Waffen liegen auf dem Bett.

SAINT-CLAUDE Ihr könnt jetzt gehen.
VAN BOSCH Schön von dir.
SANTAMARIA Klug von dir.
MCGOY So trennen wir uns als Freunde.
SAINT-CLAUDE *schreit* Haut ab!

149 *Die Türe öffnet sich wieder. Die drei Kommunisten*

rennen heraus, werfen Übelohe auf die Seite. Rennen durch die menschenleere Straße.

150 *Halle. Anastasia ist allein in der Halle. Saint-Claude kommt die Treppe herunter. Langsam. Die Maschinenpistole unter dem Arm, eine Zigarette im Mund.*

SAINT-CLAUDE Schöne Dame. Nun können wir endgültig Abschied feiern.

151 *Die drei rennen an einer langen Mauer vorbei. Plötzlich werden sie ins Scheinwerferlicht eines großen Wagens getaucht.*

EINE STIMME Halt!

Die drei bleiben erschrocken stehen, geblendet vom grellen Licht.

EINE STIMME Hände hoch!

Die drei halten die Hände hoch. Plötzlich sind überall Polizisten. Springen aus dem Wagen.

MCGOY Aber was wollt ihr denn?
VAN BOSCH Wir sind doch nur harmlose Passanten.
SANTAMARIA Friedliche Bürger.
EINE STIMME Dann kehrt euch mal um, ihr harmlosen Passanten!

Die drei kehren sich um. Hinter ihnen an der Mauer, grell

*beschienen, kleben vier riesige Steckbriefe. Jeder steht vor
dem seinen, nur vor dem Steckbrief Saint-Claudes steht
niemand.*

152 *Schlafzimmer des neuen Ministerpräsidenten (wie
Bild 67). Sir Thomas frühstückt im Bett. Das Frühstück
äußerst üppig. Der Oberst kommt.*

OBERST Herr Ministerpräsident.

SIR THOMAS Was machen Sie denn für ein Gesicht,
Oberst?

OBERST Bitte.

Er überreicht eine Visitenkarte. Sir Thomas liest.

SIR THOMAS Frédéric René Saint-Claude, Oberst der
ungarischen Armee. Ehrenbürger Rumäniens, Mitglied es polnischen Parlaments.

OBERST Mit einem Wort: Louis Bouchat. Er steht
draußen.

SIR THOMAS Verhaftet?

OBERST Freiwillig gekommen. Wir suchen ihn die ganze
Nacht mit über zweitausend Mann, und er läßt sich
einfach bei Ihnen melden. Eine bodenlose Frechheit.
Ich werde ihn sofort verhaften.

SIR THOMAS Warum denn? Das können Sie ja immer
noch. Führen Sie ihn mal herein.

*Er frühstückt weiter. Der Oberst führt Saint-Claude
herein.*

OBERST Bitte.

SAINT-CLAUDE Sir Thomas.

SIR THOMAS Gefrühstückt, Louis Bouchat ...?

SAINT-CLAUDE Oh, bemühen Sie sich nicht.

SIR THOMAS Schade, daß Sie mit mir nicht mithalten wollen. In diplomatischen Kreisen frißt man zu üppig. Bin noch ganz benommen. Fêtete letzte Nacht mit Ihrem Botschafter.

SAINT-CLAUDE Mit dem ungarischen, dem rumänischen oder dem polnischen?

SIR THOMAS Mit dem sowjetrussischen. Ich entschuldigte mich bei dieser Gelegenheit wegen der Verhaftung der drei Pädagogen, die versehentlich geschnappt wurden. Sie sind selbstverständlich in Freiheit gesetzt worden. Lassen Sie uns allein, Oberst.

OBERST Zu Befehl, Herr Ministerpräsident. *Ab.*

SIR THOMAS Entschuldigen Sie, daß ich noch im Bett liege, Louis. Aber die vier Beschäftigungen, die man am besten im Bett erledigt, sind schlafen, beischlafen, essen und regieren. Was führt Sie zu mir?

SAINT-CLAUDE Erstens möchte ich einen gefälschten Paß.

SIR THOMAS Sie appellieren an meine Menschenfreundlichkeit?

SAINT-CLAUDE An Ihre Bequemlichkeit. Die Partei hat mich ausgeschlossen. Warum sollen Sie mich liquidieren, wenn dieses Geschäft jemand anders besorgen will?

SIR THOMAS Und zweitens?

SAINT-CLAUDE Überlassen Sie mir Anastasia.

SIR THOMAS Eine so charmante Dame überläßt man niemandem ohne weiteres. Was bieten Sie dafür?

SAINT-CLAUDE Mein Schweigen. Ich bin allein, ich könnte auspacken. Stürzt Schlender, stürzt die Koalitionsregierung, stürzen auch Sie.

SIR THOMAS Schön. Sie können Anastasia haben.

SAINT-CLAUDE Sie geben mir eine Waffe, und ich nehme Ihnen ein Spielzeug.

SIR THOMAS Wo wollen Sie mit ihr hin?

SAINT-CLAUDE Nach Portugal.

SIR THOMAS Was haben Sie dort vor?

SAINT-CLAUDE Ich muß wieder von vorne anfangen. Die Weltrevolution hat sich in der russischen Steppe verlaufen. Sie muß anderswo neu unternommen werden.

SIR THOMAS Eine nicht unbeträchtliche Anstrengung.

SAINT-CLAUDE Ich gebe nie auf.

SIR THOMAS Trotzdem die Partei Sie verraten hat?

SAINT-CLAUDE Es geht um die Idee des Kommunismus, nicht um die Partei. Wer diese Idee ernst genommen hat, ist immer von der Partei verraten worden. Ich kenne die Partei. Sie wird von den Technikern der Macht beherrscht. Von Menschen wie Sie, Sir Thomas. Sie stehen nur aus Zufall im andern Lager. Die Gewaltigen dieser Erde sind alle die gleiche Bagage.

SIR THOMAS Möglich. Aber wir sind wenigstens keine Stümper. Ich habe nichts gegen Ideale. Ich muß schließlich auch hin und wieder eine Rede halten. Aber wer an seine Ideale glaubt, den halte ich für gemeingefährlich. Sie haben im Namen Ihrer politischen Idee Unzählige hingemordet, Louis Bouchat. Meine Revolution war ein Riesenschwindel, aber kostete dafür auch nur drei Tote.

Er drückt auf einen Knopf. Der Oberst kommt.

OBERST Herr Ministerpräsident?

SIR THOMAS Verschaffen Sie Frédéric René Saint-Claude einen gefälschten Paß; er ist frei.

*Saint-Claude mit Oberst hinaus. Durch eine Tapetentüre
kommt ein Sekretär.*

SIR THOMAS Herr von Grandidier!

SEKRETÄR Herr Ministerpräsident?

SIR THOMAS Wo findet die Schlußfeier des Pädagogenkongresses eigentlich statt?

SEKRETÄR In der Stadthalle, Herr Ministerpräsident.

SIR THOMAS Dann melden Sie Professor Dr. McGoy, der Vogel flattere direkt ins Schlafzimmer Anastasias zurück.

KOMMENTAR Und er flatterte zurück.

153 *Vor dem Hause Mississippis steht ein eleganter Mercedes.*

KOMMENTAR Mit einem Mercedes und dann durchs Küchenfenster.

154 *Kaminzimmer und Halle im Hause Mississippis.
Anastasia und Lukrezia räumen auf. Ziehen Vorhänge,
ein Grammophon spielt, die Stiche werden abgehängt
usw. Blumen eingestellt. Das düstere Haus wird heiter.*

KOMMENTAR Überhaupt schien ein neuer Geist in Mississippis altes Haus eingedrungen zu sein. Anastasia verschönerte den Schauplatz ihrer einstigen Hölle erstaunlich – ging ihrer Lieblingsbeschäftigung nach – ordnete Blumen – hörte klassische Musik – und schien keine Ahnung zu haben, daß sie auf einer höheren Ebene ausgehandelt worden war und ausgespielt hatte.

155 *Treppe. Anastasia geht mit einer Vase voller Blu-*
men die Treppe hoch, öffnet mit dem Ellbogen ihre
Schlafzimmertüre.

156 *Schlafzimmer. Anastasia kommt zur Türe herein,*
erblickt Saint-Claude, der sich eben vor dem Spiegel
rasiert hat. Er ist im Frack.

SAINT-CLAUDE Schöne Dame. Ich bin wieder mal wieder-
gekommen.

Anastasia stellt die Blumen auf ein Tischchen.

ANASTASIA Im Frack?
SAINT-CLAUDE Gehört deinem Mann. *Er trocknet sich das*
Gesicht ab.
ANASTASIA Was willst du noch von mir?
SAINT-CLAUDE Ich hab dir versprochen, dankbar zu sein.
ANASTASIA Es muß dir schlecht gehen, daß du auf einmal
dein Ehrenwort hältst.
SAINT-CLAUDE Zieh dein Abendkleid an. Wir fahren
scheinbar zum diplomatischen Empfang der Regie-
rung, in Wirklichkeit aber nach Portugal. Ich besitze
einen neuen Mercedes.
ANASTASIA Gestohlen?
SAINT-CLAUDE Natürlich.
ANASTASIA Die Polizei sucht dich?
SAINT-CLAUDE Die Partei sucht mich.
ANASTASIA Und was sollen wir in Portugal tun?
SAINT-CLAUDE Von vorne anfangen.
ANASTASIA *tritt nah zu ihm, ihn aufmerksam prüfend*
Was hast du mit mir vor?

SAINT-CLAUDE Wir beginnen in den Kanalisationsgängen, steigen in die Nachtasyle hinauf, wechseln zu den Kaschemmen hinüber, und schließlich baue ich dir ein anständiges Bordell.

ANASTASIA *ruhig* Dorthin soll ich hinuntersteigen?

SAINT-CLAUDE *hart* Dorthin sollst du hinaufsteigen, Frau Staatsanwalt.

ANASTASIA *zieht sich schweigend das Abendkleid an.* Du willst mich mißbrauchen.

SAINT-CLAUDE Im Gegenteil. Ich will dich zum ersten Mal richtig anwenden. Als Engel der Gefängnisse warst du eine Lästerung, nun wirst du eines der natürlichsten Mittel sein, von den besitzenden Klassen Geld zur Finanzierung ihres Zusammenbruches zu bekommen.

157   *Beim Mercedes hält ein zweiter Wagen. Van Bosch, Santamaria und McGoy steigen aus, gehen über die Straße.*

158   *Schlafzimmer. Sie packt, er raucht. Liegt auf dem Bett.*

ANASTASIA Wir können gehn.

Er öffnet ihr die Türe, sie geht hinaus.

159   *Korridor mit der Schlafzimmertüre. Rechts der Türe stehen Van Bosch und McGoy, links Santamaria. Van Bosch gibt Anastasia ein Zeichen, sie solle schweigen.*

ANASTASIA René! Ich habe meine Tasche vergessen.

Saint-Claude, der hinter ihr in der Türe war, geht ins

Zimmer, die drei folgen ihm. Anastasia geht langsam die Treppe hinab. Ein Schuß ertönt.

160   *Anastasia geht durch die Halle.*

161   *Anastasia kommt ins Kaminzimmer, geht zum Telefon. Wählt.*

ANASTASIA Liebling, es hat geklappt.

KOMMENTAR Da Sie, verehrte Zuschauer, wissen möchten, was denn geklappt habe, machen wir eine Klappblende.

162   *Hauptstraße in Europa-City. Jubelnde Menschenmenge. Der Ministerpräsident im Frack und Anastasia im Hochzeitskleid in einer offenen Limousine. Chauffeur: Rougemont.*

KOMMENTAR Sie haben es erraten: der Retter des Vaterlandes und der Engel der Gefängnisse haben sich zur Hochzeit des Jahres gefunden.

163   *Die Limousine hält jäh.*

SIR THOMAS Eine Beerdigung.
ANASTASIA Das bringt uns Glück, Liebling.

164   *Am Hochzeitswagen ziehen Van Bosch, Santamaria und McGoy vorbei, die mit einem vierten Genossen den Sarg Saint-Claudes tragen. Eine Schar Genossen folgt.*

KOMMENTAR Auch wer hier nach Moskau heimkehren darf, dürften Sie erraten haben.

165   *Zwei Genossen im Beerdigungszug.*

DER ERSTE So ein Schwindel. Den haben sie doch selbst
   umgelegt.
DER ZWEITE Wäre eigentlich Zeit, einen neuen Verein zu
   gründen.

166   *Zwei Polizisten bringen Graf Übelohe ins Armen-*
spital Sankt Georg.

KOMMENTAR Und nun zu Graf Übelohe. Er hatte an das
   Portal der Kathedrale gepoltert, gerade als unsere neue
   Landesmutter ihr neues Jawort hauchte. Nun darf
   auch er endgültig heimkehren.

167   *Armenspital. Die Schwester am Schreibtisch. Ein*
Polizist bringt den betrunkenen Übelohe.

POLIZIST Schwester, hier was zum Einliefern. Bei der
   Hochzeit des Ministerpräsidenten aufgelesen.
SCHWESTER Nehmen Sie Platz.

Übelohe setzt sich vor seine Büste.

SCHWESTER Sie sind ja betrunken.
ÜBELOHE Ich liebe sie doch, Schwester. Sie war für mich
   die Welt; aber sie war nicht zu retten.
SCHWESTER Sie sollten sich schämen. Glauben Sie eigentlich, es sei im Sinne unseres Gründers, so etwas wie Sie
   aufzunehmen? Name?
ÜBELOHE Graf Bodo von Übelohe-Zabernsee.

Die Schwester starrt ihn erschrocken an.

168   *Irrenhaus. Außenansicht.*

KOMMENTAR Und so schließen wir denn mit einem
Schauplatz ab, in welchen heute viele Geschichten
einmünden – einmünden müssen. Zuerst die Außenansicht unserer Städtischen Irrenanstalt.

169   *Auditorium der Irrenanstalt. Vor den Studenten
Professor Haberkern und Assistenzärzte, die den Studenten Mississippi präsentieren. Der ehemalige Generalstaatsanwalt sitzt auf einem Stuhl und starrt unbeweglich
in den Saal.*

KOMMENTAR Und hier eine Innenansicht. Das Auditorium der Psychiatrischen Klinik. Professor Haberkern
führt wieder einmal seinen berühmten Patienten vor,
sein Glanzstück ...

MISSISSIPPI Ich weiß, Sie halten mich für verrückt. Aber
ich habe nicht gelogen. Ich wollte doch nur die Welt
ändern. Und die Welt muß geändert werden. Es ist mir
nicht gelungen. Aber andere werden kommen. Immer
wieder. Mit immer neuen Ideen. Die Welt muß geändert werden ... Die Welt muß geändert werden ...
Die Welt muß geändert werden ... Die Welt muß
geändert werden ...

Anhang

Anmerkung I

Der Fehler vieler Aufführungen bestand, wohl verführt durch den Text, in den meist zu abstrakten Bühnenbildern. Soll es in dieser Komödie unter anderem »um die Geschichte eines Zimmers gehen«, so muß der Raum, in welchem sich alles abspielt, zu Beginn so real als nur möglich sein. Nur so wird er auch zerfallen können. Das Unreale, Phantastische überlasse man ruhig dem Text, dem Autor.

Geschrieben für den Sammelband ›Komödien I‹, Verlag der Arche, Zürich 1957.

Anmerkung II

Eine Regiearbeit vermag nur unvollkommen durch die Sprache allein ausgedrückt zu werden, das Buch ist eine unvollkommene Partitur und nur eine Partitur, noch nicht Interpretation. Regie geschieht auf der Bühne. Sie ist ein Interpretieren auf der Bühne mit Schauspielern: sie wird denn auch immer wieder von der Bühne und von den Schauspielern her korrigiert. Allein nicht nur das ›Schauspielerische‹ ist für die Regie von Belang, nicht nur die Auftritte und Abgänge oder wie sich etwa der Vorschlag auswirken würde, die Stellungen der Spieler im Ersten Teil statt durch Gänge vermittels einer Drehbühne zu erzielen – wobei sich im Gespräch Mississippi/Saint-Claude die beiden Akteure gegen Schluß vielleicht immer schneller um den Kaffeetisch drehen könnten. All das ist variabel, auf dieser Bühne zu verwirklichen, auf jener nicht; entscheidend dürfte vielleicht ein anderer Faktor sein; wichtiger (und im Grunde noch variabler): jener der Besetzung. In dieser Komödie spielt nicht umsonst die Vergangenheit eine so große Rolle. Wird zu jung besetzt, wird die Vergangenheit, die das Verhalten der Hauptakteure bestimmt, unglaubwürdig. Sollten Mississippi und Saint-Claude dem Aussehen nach zwischen fünfzig und sechzig Jahre alt sein, dürfen wir uns Übelohe und Anastasia bedeutend jünger vorstellen, ja, Anastasia ist am besten mit einer möglichst jungen Frau zu besetzen, je größer der Altersunterschied zu Mississippi, desto besser.

Geschrieben für die Fassung 1970, Verlag der Arche, Zürich 1970.

Anmerkung III

Von den vier Fassungen, die von der *Ehe des Herrn Mississippi* vorliegen und von denen eine jede das Resultat einer praktischen Regiearbeit darstellt – das heißt bestimmte Umstände zu berücksichtigen hatte –, bildet die vorliegende Fassung eine Art Synthese: Es galt, Kühnheiten wiederaufzunehmen, die ich nur in der ersten Fassung wagte, und Erfahrungen beizubehalten, die nach und nach kamen. Im großen und ganzen ist der Erste Teil der zweiten und der Zweite Teil der dritten Fassung nachgebildet; in meiner vierten Fassung, die ich 1969 für Basel konzipierte und die dann 1970 das Thalia-Theater Hamburg spielte, sprach Übelohe seinen Schlußmonolog auf dem Pendel der Standuhr reitend und schwang dabei über den anderen Schauspielern hin und her: Auch dieser Schluß ist zu überlegen.

Geschrieben 1980 für die vorliegende Ausgabe.

Bekenntnisse eines Plagiators

Wie ich deutschen Zeitungen entnehmen muß, hat Frau Tilly
Wedekind, die Witwe des großen Dichters, gegen mich vor dem
Schutzverband Deutscher Schriftsteller die Anklage erhoben,
mit meiner Komödie *Die Ehe des Herrn Mississippi* ungefähr
fast alle Werke ihres Gatten abgeschrieben zu haben, vor allem
›Schloß Wetterstein‹. So überaus merkwürdig diese Anklage
auch ist und wie wenig ernst sie auch genommen wird, so muß
gerade aus diesem Grunde vermieden werden, daß man sie nun
einfach als absurd und unsinnig abtut: Frau Tilly ist zu verteidi-
gen, nicht ich. Für ihr Verhalten gibt es eine allgemeine Erklärung und eine besondere. Ganz allgemein gesprochen, ist es
deutlich, daß ihr Kampf gegen mich nur ein Teil ihres Kampfes
für ihren Gatten ist, ein Teil eines notwendigen Kampfes, um es
gleich zu sagen, denn es ist zu bedauern und zu bekämpfen, daß
Wedekind so selten gespielt wird. Wenn wir Frau Tilly daher in
ihrem Kampf für Wedekind unterstützen wollen, müssen wir
auch das Verständnis dafür aufbringen, daß sie nun meint, mich
des Plagiats anklagen zu müssen. Ferner ist es nur natürlich,
daß sie als Gattin eines Schriftstellers fühlt, daß wir einander
irgendwie abschreiben, doch ist sie leider weder ihrem Mann
dahintergekommen noch mir, w i e man dies tut. Im besonderen
jedoch fiel sie einem Irrtum zum Opfer, der darum interessant
ist, weil er – so möchte ich es formulieren – mitten in die
Atomistik des Dramas führt, in den Kern, von dem aus sich ein
Drama entwickelt.

Hier muß eine Bemerkung über *Die Ehe des Herrn Mississippi*
eingeschoben werden. Diese Komödie ist ein künstlerisches
Experiment, mehr in ihr zu sehen, etwa gar eine Technik, die
ich nun auch des weiteren anzuwenden im Sinne hätte, wäre

Unsinn, doch ist es an der Zeit, einmal über die Art dieses Experimentes zu sprechen: nicht nur den Behauptungen Frau Wedekinds zuliebe, sondern auch, weil die vielen Kritiken, die mir vor Augen gekommen sind, über diesen Punkt im dunkeln tappen und schon aus diesem Grunde oft irren, auch wenn sie loben. Der Kritiker und der Schriftsteller stehen natürlicherweise nicht auf derselben Ebene. Der Kritiker hat ein Kunstwerk als Ganzes zu betrachten, denke ich, für den Schriftsteller ist es die Arbeit, die ihm wichtig ist, die Arbeit, in meinem Fall, ein Drama zu schreiben: das Resultat dieser Arbeit, diesen endlich zur Welt gekommenen Sohn, betrachtet er mit mehr Mißtrauen als Freude. Nun gibt es zwei Arten eines künstlerischen Arbeitens, grob gesagt, wie ja diese Unterscheidungen immer grob sind und nur auf dem Papier ganz stimmen, die deduktive und die induktive Möglichkeit des Schreibens. Es ist ein Unterschied, ob einer die Arbeit, die er ausführt, schon der Hauptsache nach im Kopf trägt, oder ob er nun ins Blaue hinein schreibt, ein Unterschied, ob der Stoff der Grund oder ob er das Resultat des Schreibens ist. Ich will gleich gestehen, daß ich nicht wußte, wohin ich zielte, als ich den *Mississippi* zu schreiben unternahm. Wohl stellten sich mit der Zeit verschiedene Ahnungen und Pläne ein, wie etwa das Stück einmal aussehen könnte, doch erfüllten sich diese Ahnungen meistens nicht. Die Neugier war zu groß. Ich schrieb mich immer wieder in Gegenden hinein, die immer neue Pläne notwendig machten. Die Arbeit war aufregend, wer Einblick hatte, schüttelte den Kopf. Ich wagte es, mich meinen Einfällen hinzugeben, denn es ist eine meiner künstlerischen Überzeugungen, daß sich ein Schriftsteller vor allem dann der Welt aussetzt, wenn er es wagt, sich seinen Einfällen auszusetzen: So möchte ich die Art meines Experimentierens im *Mississippi* verstanden haben. Das Abenteuer dieser Arbeit lag durchaus darin, den Stoff zu finden, nicht die Form. Daß dann die gespenstische Aufgabe an mich herantrat, den so abenteuerlich gefundenen Stoff auch zu begreifen, ist wohl ein anderes Kapitel.

Nach dieser Bemerkung müssen wir uns wieder Frau Wedekind zuwenden. Ihre Behauptung stützt sich nach dem Bericht, der mir vorliegt, vor allem auf die »auf Anhieb verblüffende Ähnlichkeit der dramatischen Ausgangsstellung zwischen dem ersten Akt von ›Schloß Wetterstein‹ und dem ersten Akt der *Ehe des Herrn Mississippi*. Dort heiratet die Witwe den Mann, der ihren Gatten im Duell getötet hat, hier heiratet die Mörderin ihres Gatten den Mann, der seine Frau ermordete, die mit dem Ermordeten ein Verhältnis hatte. So sind natürlich auch alle wesentlichen Übergangsrepliken von auffallender Ähnlichkeit. Um hier nur einige zu zitieren: Bei Dürrenmatt: ›Sie bieten mir eine Ehe an, um mich endlos foltern zu können.‹ Bei Wedekind: ›Das gäbe eine Folterkammer von Ehe‹ (nicht ›der Ehe‹, wie die Zeitung schreibt). Bei Dürrenmatt: ›Wir sind durch unsere Tat unauflösbar miteinander verknüpft.‹ Bei Wedekind: ›Wir sind einander gewachsen, wir haben nichts voreinander voraus.‹« (Abendzeitung München 2.6.52). Das war Tillys Geschoß. Dazu wäre etwa zu bemerken:
1. Gesetzt, daß die beiden Akte einem Richter vorgelegt würden, der weder je etwas von Wedekind noch je etwas von mir gehört hätte, vorgelegt mit der Bemerkung, einer dieser Akte sei vom andern abgeschrieben, so würde er zwangsläufig von der Überlegung ausgehen müssen, daß im Plagiat alles zufällig und unbegründet erscheinen müsse, was im Original notwendig und begründet sei, und ebenso zwangsläufig käme er nun zum Schluß, Wedekind habe m i r abgeschrieben. In der *Ehe des Herrn Mississippi* zum Beispiel, würde der Richter sein Urteil begründen, führe der Vorwurf Anastasias: »Sie bieten mir eine Ehe an, um mich endlos foltern zu können« dialektisch, indem nur ein Wort geändert werde, zur Antwort Mississippis: »Um u n s endlos foltern zu können. Unsere Ehe würde für beide Teile die Hölle bedeuten.« Mississippi sei Staatsanwalt. Er wolle das Gesetz Mosis wiedereinführen und habe schon zweihundertfünfzig Todesurteile durchgesetzt. Die Ehe mit Anastasia sehe er als eine Strafe an. Der Ausspruch Anastasias sei denn

auch in diesem bösartigen Milieu am Platz und leider nicht
übertrieben. Wenn nun dagegen Wedekinds Leonore sage:
»Das gäbe eine Folterkammer von Ehe«, und Rüdiger darauf
antworte: »Das gibt keine Folterkammer von Ehe. Man liebt
sich, oder man trennt sich«, so sei hier das Bild des Folterns
nicht weitergeführt wie bei Dürrenmatt und gehe in keiner
Weise aus dem Milieu hervor. Ebenso sei es mit den andern
Ähnlichkeiten. So werde etwa bei Wedekind Tee serviert und
bei Dürrenmatt Kaffee getrunken. Bei Dürrenmatt sei der
Kaffee etwas Wichtiges, damit werde immer wieder vergiftet, er
sei gleichsam eine bürgerliche Geheimwaffe, während bei
Wedekind der Tee keine Rolle spiele, nur zufällig serviert werde
und offenbar nur darum ins Stück geraten sei, weil sich Wedekind an Dürrenmatts Kaffee erinnert habe.

2. Sobald man sich jedoch auch mit Wedekinds und Dürrenmatts anderen Werken beschäftige, würde der Richter weiter
ausführen, sei es leicht zu beweisen, daß Dürrenmatts *Ehe des
Herrn Mississippi* nicht von Wedekinds ›Schloß Wetterstein‹
abgeleitet sein könne, sondern von der Szene zwischen dem
Kaiser und seiner Frau Julia im dritten Akt der Komödie
Romulus der Große*, die Dürrenmatt im Jahre 1949 herausgegeben habe. Der Staatsanwalt Mississippi sei eine Weiterfüh-
rung der Gestalt des Romulus, der sich ja auch damit rechtfer-
tige, daß er ein Richter sei. Die Gestalt des Mississippi sei nichts
anderes als eine Kritik, die der Autor an einer seiner Gestalten
ausübe. Aus dem Verhältnis Romulus-Julia, das ebenfalls eine
Ehe mit einer bestimmten Absicht sei, habe sich folgerichtig die
Ehe Mississippi-Anastasia entwickelt. Die Dialektik sei die-
selbe, wenn auch das Verbrechen nicht dasselbe sei. Julia: »Du
kannst mir nichts vorwerfen, wir haben das gleiche getan.«
Romulus: »Nein, wir haben nicht das gleiche getan. Zwischen
deiner und meiner Handlung ist ein unendlicher Unterschied.«
Anastasia: »Sie haben getötet, und ich habe getötet. Wir sind

---

*Werkausgabe Bd. 2, detebe 20832

beide Mörder.« Mississippi: »Nein, gnädige Frau. Ich bin kein Mörder. Zwischen Ihrer Tat und der meinen ist ein unendlicher Unterschied.« Wedekind habe mit dem Motiv (welches von Shakespeares ›Richard dem Dritten‹ stamme), daß eine Frau den Mörder ihres Gatten heirate, die Schwachheit des weiblichen Geschlechts aufzeigen wollen; Dürrenmatt dagegen sei es von Anfang an um etwas anderes gegangen: einer Mörderin aus Trieb habe er einen Mörder aus Gerechtigkeit gegenüberge-stellt, mit der Absicht, wie es scheine, eine allzu starre Gerech-tigkeit ad absurdum zu führen. Dürrenmatts Motiv und jenes Wedekinds und Shakespeares seien völlig verschieden, den Unterschied als gleichgültig hinzustellen sei unmöglich, ebenso unmöglich wie etwa die Behautpung, zwischen einem Wasser-stoffatom und einem Heliumatom sei kein wesentlicher Unter-schied, denn es sei gleichgültig, ob sich nun ein Elektron oder zwei um den Kern bewegen ... (dies zur Atomistik).

Wenn ich auch schweren Herzens zugeben muß, daß dieser angenommene Richter nicht leicht zu widerlegen ist und sich ebenso spitzfindig erweist wie Frau Tilly; wenn ich auch ein-sehe, daß ich mir und nicht Wedekind im ersten Akt abge-schrieben habe, so möchte ich dagegen beteuern – und ich bitte, mir zu glauben –, daß ich d o c h ein Plagiator bin. Daß Frau Tillys Behauptungen so paradoxe Resultate ergeben, liegt nur daran, daß sie anders recht hat, als sie glaubt. Frau Wedekind hat von der Praxis der Schriftsteller immer noch die abenteuer-lichsten Vorstellungen. Wenn die Literatur so wäre, wie dies Frau Wedekind glaubt, gäbe es keine mehr, und wenn es eine gäbe, ließe sich kaum etwas Abstruseres denken denn eine solche Literatur. Daß ein Dramatiker von der Potenz Wede-kinds auf andere Dramatiker wirkt, ist natürlich: Daß für mich Wedekind aus einem besonderen Grunde wichtig ist, muß nun dargestellt werden.

Wenn es nämlich weiter heißt, daß Frau Wedekind noch Anlei-hen aus ›Erdgeist‹, ›Büchse der Pandora‹, aus ›Hidalla‹ und ›Franziska‹ festgestellt haben will, so ist es ihr besonderes Pech,

ausgerechnet nicht auf das Werk Wedekinds gekommen zu
sein, das nun wirklich auf die *Ehe des Herrn Mississippi*
einwirkte: auf den ›Marquis von Keith‹, ein Theaterstück, das
ich für Wedekinds bestes halte und welches mich auf die Idee
brachte, die Menschen als Motive einzusetzen. In diesem Stück
ging mir die Möglichkeit einer Dialektik m i t Personen auf, da
ja der Marquis von Keith, der eigentlich ein Proletarier ist, in
Ernst Scholz, der in Wahrheit ein Graf ist, sein genaues Spiegel-
bild besitzt. Auch dies ist natürlich nicht neu, das haben die
Dramatiker immer angewandt, und nicht nur die Dramatiker:
man denke an Don Quichotte-Sancho Pansa, oder etwa an
John Kabys – den Letzten seines Geschlechts – und Herrn
Litumlei – den Ersten seines Geschlechts – bei Gottfried
Keller*. Doch bei Wedekinds Marquis von Keith zeigte sich
dieser Kunstgriff eben m i r besonders deutlich, und damit hatte
ich ein Prinzip gefunden, induktiv zu schreiben und meine fünf
Hauptpersonen zu finden, indem ich eine aus der andern ent-
wickelte und so fort.
Neben der besonderen Bedeutung Wedekinds für die *Ehe des
Herrn Mississippi* gibt es jedoch noch eine allgemeine. Wir
haben es mit diesem Dramatiker gewiß nicht leicht. Sein Problem, das Geschlechtliche, steht heute nicht mehr im Mittel-
punkt – leider. Es wäre sicher angenehmer als der kalte Krieg.
Noch hat man es nicht gelernt, in Wedekind Komödien zu
sehen, daher läßt er die meisten kalt: sie nehmen ihn ernst,
falsch ernst. Man sieht ihn immer noch als einen wilden Sexual-
reformer und wertet seine Aussagen mit Wahr oder Falsch; man
sollte endlich dahin kommen, in ihm nicht ein Verhältnis zu der
Wirklichkeit zu sehen, sondern eine Wirklichkeit, nicht so sehr,
w a s er widerspiegelt, sondern w i e er die Dinge widerspiegelt.
Die Bedeutung Wedekinds liegt vor allem in seiner Sprache. Sie
ist nicht papierdeutsch, wie man glaubt, sondern bühnen-
deutsch, eine Bühnenprosa: Hier knüpft er als einziger an Kleist

---

*In: ›Der Schmied seines Glückes‹ (Die Leute von Seldwyla II).

an, an die Prosa des ›Käthchens‹, so merkwürdig diese Ansicht auch scheinen mag. Wedekind ist einer der wenigen, denen es gelang, Konversationsstücke zu schreiben, ohne Konversation zu machen, ein Problem, das sich gerade heute immer wieder stellt, man denke an die ›Cocktail-Party‹ Eliots. Da der Bruch mit dem Naturalismus nun einmal geschehen ist, müssen wir eine neue Bühnensprache finden. Doch muß immer wieder betont werden, daß es heute keinen allgemeinen Stil mehr geben kann, sondern nur Stile. So wichtig auch Wedekind sein mag, die Möglichkeit in Wedekind ist wichtiger: Es ist eine Möglichkeit der Komödie. H i e r habe ich eingesetzt. Ich glaube nicht, daß ein heutiger Komödienschreiber an Wedekind vorbeigehen kann, wie mir dies Frau Tilly offenbar zumutet. Sie hängt an einzelnen Pointen, die ähnlich sein mögen, weil sich Pointen immer ähnlich sind, mir geht es um wichtigere Dinge. Wedekind wirkte auf mich ein, aber nicht jener Wedekind, den seine Witwe meint, sondern einer, den es noch nicht gibt, den wir erst entdecken müssen.

Aus: ›Die Tat‹, 9. August 1952; in: ›Theater-Schriften und Reden‹, Verlag der Arche, Zürich 1966.

Etwas über ›Die Ehe des Herrn Mississippi‹ und etwas über mich

Man wird sich wundern, wenn ich ein Stück, in welchem von den Helden schließlich fast ein jeder umkommt, eine Komödie nenne, doch geschieht dies – abgesehen davon, daß ich die Theatertode nicht allzu tragisch nehme – nicht aus Zynismus. Ein solcher wäre es vielleicht, wenn ich *Die Ehe des Herrn Mississippi* eine Tragödie genannt hätte; denn das Schicksal ihrer

Gestalten ist zu grotesk, um unser Mitgefühl zu erwecken, und
will dies auch nicht: Das Stück ist bewußt ganz in den Witz
hineingehängt. Gerade das Groteske jedoch ist ein Stil der
Komödie – nicht jeder Komödie, nicht der des Molière etwa,
sondern der des Aristophanes.

Von hier aus, von diesem Begriff des Grotesken aus, glaube ich,
kommt man mir am besten bei. Doch muß man auch hier klar
unterscheiden. Ich bin nicht grotesk als Romantiker, der mit
diesem Mittel Gefühle des Schauerlichen oder des Absonderli-
chen erwecken will, sondern grotesk, wie einstmals Aristophanes oder Swift grotesk gewesen sind: aus der Notwendigkeit
heraus, genau zu sein und kein Blatt vor den Mund zu nehmen,
aus einem Willen heraus, tendenziös und künstlerisch zugleich
aufzutreten, konkret und abstrakt zugleich, zugleich ein
Pamphlet und ein Kunstwerk zu geben. Wie wäre dies anders
möglich als durch die Groteske? Es ist die Fähigkeit, Spreng-
stoff zu dosieren, die unsere Kunst bestimmt. Nicht daß ich
mich mit den hohen Herren, auf die ich anspiele, auf die gleiche
Stufe stellen möchte: aber ich begebe mich entschlossen in ihr
Gefolge als einer ihrer Lanzenknechte.

Wohlan denn, wie Übelohe sagt (den ich in diesem Stück am
meisten liebe). Die Kämpfe unserer kleinen Schar sind immer
die gleichen, die Gegner immer die gleichen. Immer geht's
knapp an einer Niederlage, immer knapp an einem Sieg vorbei,
oftmals zusammengehauen, oftmals verlacht. Aristophanes
wird gerühmt, doch wer kennt ihn noch, Swifts großes Werk
lesen nur noch die Kinder, Wedekind wird selten gespielt – und
wie wird es erst einem der letzten, zweifelhaftesten Junker
dieser auseinanderfallenden Truppe ergehen, diesem komödien-
schreibenden Protestanten da, der nun vor euch hintritt!

Man sehe sich vor. Er bringt seine Helden nicht mit-leidend
um, wie die Tragiker, er saß nicht tränenüberströmt an seinem
Schreibtisch und schluchzte: Anastasia ist tot! Er mordete sie
hohnlachend. Er hat zwar Witz, doch geht es in seinem Stück
ungemütlich zu. Die Wahrheit sagt er mit einer Grimasse, und

die Beziehung, die er zu seinem Publikum hat, ist vielleicht am besten mit jener zu vergleichen, die zwei Faustkämpfer zueinander haben. Pech, daß oft die Kritiker zwischen die beiden geraten.

Geschrieben 1967 für das Programmheft der Aufführung durch die Schauspieltruppe Zürich Maria Becker/Robert Freitag.

Friedrich Dürrenmatt
im Diogenes Verlag

*Das Versprechen / Aufenthalt in
einer kleinen Stadt*
Ein Requiem auf den Kriminalroman und ein
Fragment. detebe 20852

*Der Sturz / Abu Chanifa und
Anan Ben David / Smithy / Das
Sterben der Pythia*
Erzählungen. detebe 20854

Theater
Essays, Gedichte und Reden. detebe 20855

Kritik
Kritiken und Zeichnungen. detebe 20856

Literatur und Kunst
Essays, Gedichte und Reden. detebe 20857

*Philosophie und Naturwissen-
schaft*
Essays, Gedichte und Reden. detebe 20858

Politik
Essays, Gedichte und Reden. detebe 20859

Zusammenhänge/Nachgedanken
Essay über Israel. detebe 20860

Der Winterkrieg in Tibet
Stoffe I. detebe 21155

Mondfinsternis / Der Rebell
Stoffe II/III. detebe 21156

Der Richter und sein Henker
Kriminalroman. Mit einer biographischen
Skizze des Autors. detebe 21435

Der Verdacht
Kriminalroman. Mit einer biographischen
Skizze des Autors. detebe 21436

● **Das zeichnerische Werk**
Bilder und Zeichnungen
Mit einer Einleitung von Manuel Gasser und
Kommentaren des Künstlers. Diogenes
Kunstbuch

Die Heimat im Plakat
Ein Buch für Schweizer Kinder. Zeichnungen. Mit einem Geleitwort des Künstlers
kunst-detebe 26026

Außerdem liegen vor:
Die Welt als Labyrinth
Ein Gespräch mit Franz Kreuzer. Broschur

Denken mit Dürrenmatt
Denkanstöße, ausgewählt und zusammenge-
stellt von Daniel Keel. Diogenes Evergreens

Über Friedrich Dürrenmatt
Essays, Zeugnisse und Rezensionen von
Gottfried Benn bis Saul Bellow. Mit Chronik
und Bibliographie. Herausgegeben von Daniel Keel. detebe 20861

Elisabeth Brock-Sulzer
Friedrich Dürrenmatt
Stationen seines Werkes. Mit Fotos, Zeichnun-
gen, Faksimiles. detebe 21388

Gottfried Keller
Zürcher Ausgabe

Gesammelte Werke
in der Edition von Gustav Steiner
in 8 Einzelbänden

Der grüne Heinrich
in zwei Bänden. detebe 20521 + 20522

Die Leute von Seldwyla I
detebe 20523

Die Leute von Seldwyla II
Zwei Kalendergeschichten
detebe 20524

Züricher Novellen
Aufsätze
detebe 20525

Das Sinngedicht
Sieben Legenden
detebe 20526

Martin Salander
Ein Bettagsmandat / Therese
Autobiographische Schriften
detebe 20527

Gedichte
Der Apotheker von Chamounix
detebe 20528

Als Ergänzungsband liegt vor:

Über Gottfried Keller
Sein Leben in Selbstzeugnissen und
Zeugnissen von C. F. Meyer bis Theodor Storm
Herausgegeben von Paul Rilla
Mit Chronik und Bibliographie
detebe 20535

Moderne deutsche Klassiker
im Diogenes Verlag

● **Alfred Andersch**
»... einmal wirklich leben«
Ein Tagebuch in Briefen an Hedwig
Andersch 1943–1975. Herausgegeben von
Winfried Stephan. Leinen

Erinnerte Gestalten
Frühe Erzählungen. Leinen

Studienausgabe in 19 Bänden
detebe

Das Alfred Andersch Lesebuch
Herausgegeben von Gerd Haffmans
detebe 20695

Über Alfred Andersch
Herausgegeben von Gerd Haffmans
detebe 20819

● **Gottfried Benn**
Ausgewählte Gedichte
Herausgegeben und mit einem Nachwort
von Gerd Haffmans. detebe 20099

Das Gottfried Benn Lesebuch
Ein Querschnitt durch das Prosawerk,
herausgegeben von Max Niedermayer und
Marguerite Schlüter. detebe 20982

● **Heinrich Böll**
Denken mit Heinrich Böll
Gedanken über Lebenslust, Sittenwächter
und Lufthändler, ausgewählt und zusammen-
gestellt von Daniel Keel. Diogenes Evergreens

● **Friedrich Dürrenmatt**
Achterloo
Komödie. Leinen

Minotaurus
Eine Ballade. Mit Zeichnungen des Autors
Pappband

Justiz
Roman. Leinen

Die Welt als Labyrinth
Ein Gespräch mit Franz Kreuzer. Broschur

Der Auftrag
oder Vom Beobachten des Beobachters der
Beobachter. Erzählung. Leinen

Zeitsprünge
Leinen

*Das dramatische Werk
in 17 Bänden*
detebe 20831–20847

Das Prosawerk in 16 Bänden
detebe 20848–20860, 21155–21156 und
21435–21436

Denken mit Dürrenmatt
Denkanstöße, ausgewählt und zusammenge-
stellt von Daniel Keel. Mit sieben Zeichnungen des Dichters. Diogenes Evergreens

Über Friedrich Dürrenmatt
Herausgegeben von Daniel Keel
detebe 20861

Elisabeth Brock-Sulzer
Friedrich Dürrenmatt
Stationen seines Werkes. Mit Fotos, Zeichnun-
gen, Faksimiles. detebe 21388

● **Hermann Hesse**
Meistererzählungen
Herausgegeben und mit einem Nachwort
von Volker Michels. detebe 20984

● **Das Erich Kästner Lesebuch**
Herausgegeben von Christian Strich
detebe 20515

● **Heinrich Mann**
Meistererzählungen
Herausgegeben von Christian Strich. Mit
einem Vorwort von Hugo Loetscher und
Zeichnungen von George Grosz.
detebe 20981

● **Ludwig Marcuse**
*Werk- und Studienausgabe in
bisher 14 Einzelbänden*
detebe